Manières de dire, manières de penser

Jacques Senécal

Manières de dire, manières de penser

Initiation à la réflexion critique sur les lieux communs

Liber

Les éditions Liber reçoivent des subventions du Conseil des arts du Canada, de la SODEC (programme d'aide à l'édition et programme d'aide à l'exportation) et du ministère du Patrimoine canadien (PADIE), et participent au programme de crédit d'impôt pour l'édition de livres du gouvernement du Québec.

Illustration de la couverture: Jacques Senécal, *L'enchinoisée*, huile, 1999.

Éditions Liber, 2318, rue Bélanger, Montréal, Québec, H2G 1C8; téléphone: (514) 522-3227, télécopie: (514) 522-2007, courriel: edliber@cam.org

Distribution
Canada: Diffusion Dimedia, 539, boulevard Lebeau, Saint-Laurent, Québec, H4N 1S2; téléphone: (514) 336-3941, télécopie: (514) 331-3916, courriel: general@dimedia.qc.ca;
France et Belgique: DNM, Diffusion du nouveau monde, 30, rue Gay-Lussac, 75005 Paris; téléphone: 01 43.54.49.02; télécopie: 01 43.54.39.15; courriel: liquebec@noos.fr;
Suisse: Servidis, 5, rue des Chaudronniers, C. P. 3663, CH-1211 Genève 3; téléphone: 022 960 95 10; télécopie: 022 960 95 25; courriel: admin@servidis.ch

Dépôt légal: 4e trimestre 2004
Bibliothèque nationale du Québec

ISBN 2-89578-060-9

À Danielle

INTRODUCTION

Cet ouvrage est une initiation à la réflexion philosophique à partir de certaines façons de dire, locutions banales, formules populaires, lieux communs, «idées reçues», que l'on croit tous comprendre, mais dont on n'entend pas toujours toutes les résonances. Elles nous disent la vérité des choses, l'attitude juste, la bonne disposition d'esprit, la clé du bonheur. Elles veulent nous apprendre à vivre, et à penser. Or, voilà un programme que la philosophie a fait sien depuis sa naissance. Il n'est donc pas étonnant de la retrouver derrière la tournure proverbiale que se donnent certaines expressions courantes qui nous tiennent parfois lieu de pensée. Je me propose de les méditer. De les considérer sous leurs divers sens. Que disent-elles ? Que dit la philosophie ? En les examinant, nous nous trouverons en effet à faire un survol de l'histoire des idées, à donner un aperçu des principales écoles philosophiques et à rappeler les grandes controverses qui ont occupé les penseurs depuis des millénaires ; autant ceux que l'on situe au plus près de la tradition que ceux dont la pensée exprime une résistance ou une dissidence.

Bien sûr, il ne faudrait pas s'attendre à une suite d'exposés techniques ni à une démarche de manuel scolaire. Si je me suis inspiré d'un certain ordre didactique dans la présentation des chapitres, les composantes de cette disposition montrent bien la complémentarité et même l'interpénétration des notions abordées au fil du parcours, un peu comme une approche multiple. J'ajoute que la rigueur et la clarté nécessaires à la compréhension n'empêchent pas l'actualisation des rapports avec la vie quotidienne ni l'expression d'une ferveur qui, à l'occasion, je l'avoue, peut conduire jusqu'à l'effervescence polémique.

On sait que les scientifiques, par respect pour la méthode de leur discipline, se dissimulent toujours derrière l'écran de l'objectivité. Ils doivent s'oublier personnellement. Au contraire, le philosophe qui communique avec un public, c'est une personne qui s'expose, un sujet qui se mouille. Celui qui garde la neutralité n'est pas philosophe. Il est sociologue, psychologue, historien. Exégète spécialisé. Traducteur. Anthropologue. Un astrophysicien qui nous parlerait de Dieu ou de la liberté ou de son engagement politique cessera de parler en tant que savant; sujet humain qui réfléchit, critique et s'engage, il devient philosophe. Et comme le philosophe, tout homme peut dénoncer les injustices et condamner les sottises.

Cependant, il ne faudrait pas voir la philosophie comme une entreprise qui ne serait que critique ou désapprobation. Au contraire, le philosophe est d'emblée un amant du réel, de la vie et de la vérité: philosopher, c'est dire oui au monde, mais c'est aussi dire oui à sa propre résistance qui en fait partie. C'est aussi affirmer sa dissidence ou son indignation ou carrément son refus ou sa révolte là où il y a bêtise ou obscurantisme, dogmatisme ou fanatisme. La philosophie, c'est un rapport humain avec la vérité et l'action, c'est une connaissance et une lucidité actives: penser, c'est d'abord connaître et voir les choses comme elles sont, ne pas se raconter d'histoire, comprendre le réel afin de l'accepter et de le transformer au besoin. Lui résister ou le surmonter. Pour combattre l'injustice, il faut d'abord la reconnaître.

La philosophie n'est pas une science : elle est une réflexion, une dimension constitutive de l'existence humaine. Elle engage donc la raison et la passion. Et, bien sûr, l'action. C'est pourquoi, à lire ou à écouter un philosophe, on en reçoit toujours une part importante de sa subjectivité. Les notions traitées ou les sujets abordés sont toujours pour le philosophe des problèmes qui relèvent de sa vie intérieure, qui lui tiennent à cœur et qui, en même temps, le révèlent. Par exemple, le choix des lieux communs ici présentés n'est pas aléatoire : chacune des onze maximes ou locutions examinées m'a marqué, inspiré, et a suscité chez moi des motivations d'analyse et d'approfondissement sinon de désapprobation. Le lecteur y verra un certain point de vue, un certain ton, une certaine insistance et même une certaine fougue dans le traitement de tel ou tel aspect. C'est normal, c'est le philosophe, l'humain qui pense, qui s'émeut et qui, forcément, s'engage. Toute philosophie est un combat : critique des préjugés, attaque contre les illusions, démontage des idéologies. Ne nous étonnons donc pas de sentir, à l'occasion, le combattant à l'œuvre qui, avec l'arme de la raison, dénonce et pourfend, le militant qui, de la tribune de sa passion, invite et rassemble, et le sage, aussi, qui voit, accepte, agit et qui ne philosophe pas pour passer le temps, mais pour penser sa vie et vivre sa pensée.

Dès notre plus jeune âge, notre pensée est pétrie de clichés qui, peu à peu, prennent la forme d'une « philosophie » que l'on croit personnelle, mais qui n'est, le plus souvent, que ramassis de préjugés. Si cet ouvrage permet la prise de conscience de ce phénomène — bien connu des professeurs de philosophie, mais ignoré du grand public —, il aura atteint son but. La philosophie reste la meilleure méthode, toujours actuelle, d'apprendre à penser par soi-même, et de s'engager comme citoyen et comme homme ; elle est encore l'outil le plus efficace de mise à distance et de critique d'habitudes acquises, le moyen par excellence d'une bonne aération mentale et d'une certaine élévation intellectuelle.

Si cet ouvrage nourrit le désir d'aller plus loin en philosophie, s'il stimule l'intérêt pour la pensée originale des philosophes et s'il incite à approfondir et à nuancer le traitement que je propose, mon objectif sera atteint. « Hâtons-nous de rendre la philosophie populaire ! » disait Diderot.

CHAPITRE I

Prendre les choses avec philosophie

Prendre les choses avec philosophie, c'est beaucoup plus que de rester impassible devant les vicissitudes de la vie ; c'est surtout cultiver le doute pour garder intactes nos capacités d'étonnement et refuser le conformisme.

On suggère de «prendre les choses avec philosophie» à celui qui traverse une épreuve, qui est frappé par un malheur, qui connaît un échec. La formule laisse entendre que l'on peut faire face aux épreuves de la vie sans se laisser abattre et même les surmonter. C'est toujours devant les peines ou les vicissitudes de tout genre que l'on conseille de «prendre les choses avec philosophie», un peu comme si la philosophie ne servait qu'à affronter les malheurs.

Impassibilité et résignation

L'histoire a sans doute retenu des philosophes leur attitude ou les vertus qu'ils ont vantées pour triompher des souffrances et gagner la paix intérieure. Dans l'Antiquité grecque, latine et même orientale, la philosophie s'est en effet développée comme technique de vie heureuse autour d'écoles populaires ou exotériques (par opposition aux enseignements ésotériques destinés aux initiés) dont la plus célèbre est sans doute le stoïcisme. Cette philosophie proposait une éthique dont le but était le bonheur, entendu comme sérénité intellectuelle ou repos de l'âme en harmonie avec la nature. Le mot qui résume le détachement des choses du monde qui alimentent nos passions, nos désirs et, par conséquent, nos déceptions, et la paix intérieure qui en résulte est *ataraxie*, qui signifie étymologiquement une absence de trouble.

Le stoïcisme* eut beaucoup d'influence sur les premiers chrétiens puisqu'il préconisait une acceptation du réel dont les événements heureux ou malheureux ne dépendent pas des volontés individuelles : « Abstiens-toi et supporte », disait Épictète, esclave grec et philosophe à Rome au premier siècle de notre ère. « Tout ce qui t'accommode, ô Monde, m'accommode moi-même », affirmait Marc-Aurèle, empereur et philosophe romain, l'un des plus célèbres stoïciens, qui éprouvait une grande admiration pour l'esclave Épictète — comme quoi, en philosophie, les maîtres et les esclaves ne sont pas ceux qu'on pense. Le sage stoïcien accède à la paix intérieure grâce à une soumission rationnelle à l'ordre du monde — ou de Dieu ou de la Providence, chez saint Augustin — dont les lois sont nécessaires : « Tout ce qui arrive, arrive justement. » Au lieu de se plaindre et de cultiver le regret et la tristesse, l'être humain peut ainsi parvenir à la quiétude de l'âme par une meilleure compréhension du réel. Cette compréhension indique la voie à suivre pour vivre en conformité avec la nature (la nécessité). Et c'est alors que le sage découvre sa liberté, qui consiste à vouloir que les choses arrivent non comme il nous plaît, mais comme elles arrivent. La liberté stoïcienne est une acceptation consentie par la raison. On voit mieux maintenant ce que signifie « prendre les choses avec philosophie ».

* Les mots suivis d'un astérisque sont définis dans le glossaire.

L'expression populaire semble réduire la philosophie à une seule éthique, certes célèbre, mais particulière, en tout cas, historiquement très délimitée. Il serait donc plus exact de dire, dans ce sens : « prendre les choses stoïquement » ou « avec impassibilité ». Prendre la vie comme elle est et l'accepter avec courage. Dans la tradition chrétienne, ce sens est celui de la soumission à la volonté divine, de la résignation face aux voies (ou voix) impénétrables de la Providence.

Il est regrettable que la mémoire commune n'ait conservé de la philosophie que cette attitude de « défense » devant le malheur. Bien sûr, la philosophie s'est toujours interrogée sur la condition humaine qui, comme on le sait, n'est pas toujours « sucrée comme le goût des fraises » (Alain) mais, au contraire, souvent amère comme celui de la bière. On sait que l'on va mourir, et la conscience de notre finitude nous pousse à chercher une béatitude salvatrice à saveur d'éternité. La philosophie est donc avant tout une réflexion incessante sur notre situation exceptionnelle d'êtres conscients de leur propre mortalité et ne peut pas faire autrement que de s'interroger sur les raisons ou les causes de cette amertume essentielle et sur les moyens de la dépasser. D'où une recherche constante des meilleurs chemins qui mènent au bonheur.

Mais pour ce faire, elle doit passer d'abord par une attitude de l'esprit beaucoup plus universelle et beaucoup plus fondamentale que la simple résistance aux malheurs : elle doit passer par une pratique à la fois intellectuelle et citoyenne, si angoissante que le sens commun ou l'idéologie populaire la discréditent. Cette pratique, c'est le doute.

Le doute

Qu'est-ce que le doute ? Le doute est un état du sujet ou de l'esprit connaissant (par opposition à l'objet connu ou à connaître) qui suspend son jugement ou son adhésion. Le sujet prend une distance par rapport à l'objet à connaître, que cet objet soit la réalité elle-même ou un autre jugement. Douter, c'est pratiquer un certain retrait pour une meilleure évaluation ou appréciation des choses. Si nous voulons bien percevoir l'aspect global d'un immeuble, par exemple, il ne nous sert à rien de nous coller le nez dessus, il est essentiel de prendre du recul. Il faut nous éloigner ou nous élever pour voir qu'il a telle forme, tel caractère, etc. Il en est ainsi de l'esprit : s'il veut en arriver à une évaluation, à un jugement d'appréciation, il lui faut prendre du temps, de l'espace, une distance, une certaine «hauteur».

Cette faculté propre à l'être conscient s'appelle aussi la pensée critique ou la réflexion critique. C'est elle qui permet de «remettre en question» un jugement, une évaluation, ce qu'on tient pour une «vérité». C'est elle qui met en opposition des jugements à travers le dialogue ou par l'examen des liens qui existent entre des choses parfois contradictoires : l'esprit critique est essentiellement dialectique. La dialectique, méthode qui prend en considération les contraires, est littéralement une puissance du dialogue qui cherche la vérité contre les discours qui semblent s'imposer. Ce n'est pas pour rien que le père de la philosophie occidentale, Socrate, en a fait tant usage. Socrate n'a rien écrit : il parlait, il dialoguait. Il discutait des jugements en les opposant. À travers cette opposition, il cherchait la vérité universelle — car nul n'est dépositaire de la vérité, et que vaudrait-elle si chacun était seul à la posséder ? La dialectique — entendue dans le sens de dialogue philosophique ou dans son sens logique — a horreur de la soumission au consensus tout fait : combien de consensus passés se sont révélés non fondés ! Combien de consensus n'ont été et ne sont que «vérités arrangées» ! «Philosopher, c'est d'abord dire non !», c'est ainsi qu'on peut résumer le sens de l'attitude fondamentale du philosophe.

Doute, critique, remise en question, dialectique : même combat, même faculté humaine de recherche et même puissance intellectuelle ou aptitude à circonscrire le mieux possible la réalité ; c'est l'arme la plus affûtée de l'homme pensant et elle est essentielle au progrès de la connaissance. Toutes les grandes découvertes et inventions humaines résultent directement de remises en question de vérités ou de faits établis pour permettre un pas de plus. Copernic a remis en question la représentation astronomique du Moyen Âge et de l'Antiquité pour proposer une vision révolutionnaire (ou contraire) du monde. Newton a dû douter du dogme du Premier Moteur divin pour formuler la loi de la gravitation universelle ($f = ma$) qui a permis tant de victoires aux humains : voler avec un appareil plus lourd que l'air et, même, aller sur la lune. Einstein a dû faire la critique de la théorie de Newton pour élaborer sa théorie de la relativité ($e = mc^2$). En philosophie, le développement considérable des idées, des systèmes, des théories a rendu possible un progrès inouï de la raison humaine (droit, démocratie, liberté, justice, tolérance...). D'ailleurs, les sciences naturelles comme les sciences humaines ne sont-elles pas les filles légitimes de la recherche philosophique au cours de l'histoire ?

La connaissance humaine est indiscutablement associée au doute, à la critique et à la remise en question ; et la philosophie est primordialement fondée sur ce procédé de l'esprit. Le doute, c'est la capacité de dépasser le réel (dont l'homme) pour le comprendre. Douter, c'est penser, disait Descartes, et penser, c'est *être* humain. Et pourtant, le sens commun (que j'appelle aussi l'idéologie dominante dans une société) craint le doute et la critique au point que l'on qualifie de « critiqueur », de « rouspéteur », de « ronchonneur » celui qui en fait usage. Celui qui doute est souvent considéré comme un esprit négatif, un sceptique irritant qui « ne fait confiance à personne », qui « cherche la petite bête noire » et qui « remet toujours tout en question » comme un instable, un utopiste, un mauvais esprit, un déconnecté du réel ou simplement un « malade » dont on se méfie.

Devenu synonyme d'indécision, de défiance, de méfiance ou de faiblesse, plaçant le sujet dans un état apparent d'instabilité qui risque de paralyser son action, le doute a si mauvaise cote dans l'idéologie populaire qu'on l'évacue de son propre comportement personnel pour tomber dans l'attitude contraire : la crédulité, la foi. Et comme notre éducation repose en grande partie sur une incitation à la croyance (au Père Noël, en Jésus, en ses professeurs, en ses entraîneurs, à la publicité, à l'astrologie, en soi...), la critique (ou la pensée critique) en arrive à être perçue comme un mauvais état d'esprit (négativisme) et la croyance prend alors toute la place : « Crois en ce que tu es. Crois en ce que tu fais. Sois positif. » Ainsi conditionné, on préfère s'accrocher à des « vérités » toutes faites, s'en tenir à des lieux communs considérés comme indubitables, parce qu'universellement imposés, croire à des dogmes jamais critiqués, parce que socialement rentables. Et s'il arrive qu'on perde foi ou que l'on doute d'une « idée reçue », on se précipite comme un dépendant sur un autre préjugé plus en vogue. Les idées reçues, c'est comme les vêtements, quand ils ne sont plus à la mode, c'est-à-dire quand ils n'habillent plus le corps conformément à l'image, on les refile aux pauvres, aux plus ignorants. On a si peur de l'*absence* de repères « sûrs et certains » à laquelle la connaissance critique risque de mener, qu'on se met à l'abri derrière des « certitudes » établies par les conventions. L'insécurité du doute nous fait rechercher la stabilité du dogme.

Mais pourquoi tenons-nous tant à avoir des certitudes en poche ? Pour retrouver le plus vite possible une prétendue sécurité. Il est plus facile de croire que de savoir ; et il y a des gens qui sont si sûrs de leur croyance qu'ils en arrivent à ne plus penser que l'erreur existe et cela les rassure. C'est là une malheureuse conséquence de l'ignorance, véritable tare individuelle et sociale extrêmement dangereuse. C'est elle, l'ignorance, qui nous rend fragiles et présomptueux, c'est elle qui nous incite au conservatisme et à la peur du changement ; elle nous oblige à nous enfermer dans les traditions et à chercher en elles des remèdes souvent périmés (donc, dangereux pour la santé intellectuelle et physique). L'éducation utilitariste, la propagande publicitaire, les incitations multiformes au conformisme, bref, l'idéologie dominante a cette pernicieuse tendance à garder la population dans la bêtise d'une pensée univoque sans revers ; et cela évacue l'inquiétude.

La philosophie combat la bêtise, la sottise et tout le train des inepties et des défauts de jugement. Elle a toujours lutté, aussi, contre l'ignorance et sa pauvreté. La philosophie, en tant que savoir cohérent et amour de la vérité, génère de la pensée critique, du doute et des remises en question et se régénère à travers eux ; elle fait de chacun de nous une personne intellectuellement plus indépendante vis-à-vis des pouvoirs de toutes sortes autant celui du discours politique que celui de l'argent, par exemple. Il ne faut pas s'étonner que les pouvoirs, en général, se méfient de la pensée critique et de l'autonomie qu'elle engendre. Imaginons : si cette autonomie intellectuelle se généralisait, il serait, en effet, beaucoup plus difficile de leurrer la population (quel que soit l'angle sous lequel on l'envisage : les consommateurs, les contribuables, les électeurs, les spectateurs...), de la manipuler et de la gérer. De plus, avec le véritable plaisir que procure le savoir, il serait fort possible — c'est à parier — qu'on en arrive à vivre heureux sans devoir dépendre d'une kyrielle de marchandises, de croyances, de faux besoins et de fausses certitudes non nécessaires au bonheur. Dans ce cas, qu'arriverait-il de nos sociétés productivistes qui, pour poursuivre leur croissance matérielle à l'infini, déploient un arsenal de propagande pour faire de chacun de nous un consommateur dépendant à gogo ? La lucidité généralisée serait un grand risque pour le bon fonctionnement des dominations actuelles, car la richesse qu'apporte la philosophie atténuerait l'envie de consommation futile, contrebalancerait la pénurie créée par la manipulation des besoins et éliminerait les désirs cupides d'appropriation. La philosophie nous ouvre à l'autonomie, donc à une quiétude singulièrement indépendante, à un bonheur simple et solide qui ne coûte pas cher, mais qui, n'ayant pas de prix et ne se vendant pas, constitue un risque social.

On a tous un oncle, un voisin ou un ami d'ami qui connaît tout sur tout, qui possède la vérité et qui distribue ses conseils tel un moraliste ne souffrant aucune contradiction ; on a tous vu (ou eu), dans ses parages, cet être exécrable qui fait figure d'autorité ou de pouvoir et que l'on doit faire semblant d'écouter. Dans les réunions de famille ou mondaines, on l'évite, car on ne sait pas comment lui « répondre ». Puisqu'il a toujours raison, il nous place dans l'inconfortable situation d'avoir toujours tort. Et comme on n'a pas appris à devenir critique et qu'on nous a éduqués à croire et à nous soumettre aux «autorités», on évite toute confrontation: on s'écrase et on se la ferme même si l'on soupçonne que les vérités qu'on nous assène ne sont pas fondées ou qu'elles ne sont que de vieux préjugés. Or, avec la fréquentation de la philosophie et la familiarisation avec le doute et la critique, on acquiert inévitablement une autonomie intellectuelle, une indépendance d'esprit accompagnée d'une combative curiosité et d'un amour pour la vérité. Dès lors, lorsqu'on entendra l'abominable déblatérer ses niaises «certitudes», on sera plus à l'aise de rétorquer: «Ce que vous pensez et dites avec tant de fatuité est pour le moins très discutable; y avez-vous déjà réfléchi?» C'est ce qu'apporte, entre autres, l'esprit dialectique de la philosophie: une force qui rend égal à l'autre, un pouvoir affirmatif contraire à la soumise acceptation, un tonique pour la discussion et pour la démocratie.

Il n'est pas nécessaire d'être philosophe pour douter, mais on ne peut philosopher sans douter. Le doute est donc primordial.

L'étonnement

On pourrait se demander de quoi naît le doute humain, dans quel sentiment ou émotion il s'enracine. Réponse: l'émerveillement ou, mieux, l'étonnement. Dès qu'on est au monde, enfant, on s'étonne de tout ce qui est, de tout ce qui arrive et on pose inlassablement la question: «Pourquoi?» Il y a chez l'enfant un manque d'habitude à vivre et une soif de comprendre tout ce qui se passe: il cherche des explications pour se rassurer. Les adultes lui donnent des réponses souvent cohérentes pour satisfaire son besoin. L'«enfant philosophe» est celui qui, peut-être, n'arrive pas à se satisfaire tout à fait des réponses des adultes et conserve en lui l'émerveillement qui va garder intacts sa curiosité et son doute. Il ne s'habitue pas. Il cherche, il veut la vérité. Il pressent ce qui est arrangé par les grands et continue son exploration plutôt que de croire. L'enfant est beaucoup plus proche de l'exploration que de la religion, beaucoup plus naturellement chercheur que croyant. Mais le sait-on?

Il semble que non puisque l'éducation incite davantage à la croyance et à l'habitude qu'à l'étonnement; de sorte que, dès l'âge scolaire, la très grande majorité des petits ont déjà pris l'habitude, par mimétisme des adultes, de savoir tout sur tout. Et leur scepticisme* «naturel» se perd, à un point tel que, devenus adolescents, ils en arrivent à cacher leur étonnement (qui passe pour de l'ignorance) afin de ne pas montrer qu'ils sont nés de la dernière pluie, et d'affirmer leur niaise maturité de futurs adaptés sociaux. Par son système d'éducation opérationnelle, de propagande promotionnelle et de croyance à des «vérités» simplistes, la société habitue les jeunes à vivre sans le doute, sans le scepticisme et sans cet émerveillement qui les rendraient philosophes ou tout au moins lucides et citoyens mieux éclairés.

Quand une société fait la promotion du souci exclusif du bien-être matériel dans le cœur du citoyen et que celui-ci achète sa prospérité en soldant une liberté dont il a totalement oublié la valeur, des conséquences graves peuvent s'ensuivre. Les individus se replient sur eux-mêmes, s'isolent les uns des autres, délaissent la vie publique pour ne se préoccuper que de leur cocon privé, se désintéressent de leurs droits et de leur pouvoir démocratique. Apparaît ainsi l'uniformisation des modes de vie, «une forme de servitude réglée, douce et paisible», remarquait Tocqueville, qui ajoutait: «C'est à travers le bon ordre que les peuples sont arrivés à la tyrannie.» Voilà l'image même du conformisme, attitude totalement antiphilosophique.

Être conformiste, c'est être un adulte «comme il faut», c'est accepter le pouvoir des faiseurs d'opinion publique plutôt que d'élaborer et d'exprimer le sien: son pouvoir de pensée et de parole. C'est se soumettre au conditionnement de faux besoins dont la satisfaction profite aux intérêts des grandes entreprises plutôt qu'à soi-même. Être un adulte «comme il faut», c'est fréquenter les salons commerciaux, courir les sports organisés, apprécier les films en tête du *box office*, admirer les idoles préfabriquées. Un adulte «comme il faut» se détend, s'amuse, et consomme conformément aux modèles sociaux, aime et hait ce que les autres aiment ou haïssent... Il désire, agit et pense comme tout le monde sans apercevoir le malaise généralisé. Il se reconnaît dans ses marchandises, trouve son âme dans sa voiture sans en apercevoir les coûts écologiques et s'achète une fierté dans les derniers techno-gadgets. Il paie pour porter orgueilleusement les marques et il se personnalise uniformément en affichant sur lui-même un logo publicitaire. Il ressent un certain mal-être, mais dans une douce anesthésie. Un adulte «comme il faut» porte, muet, une muselière à sa pensée, des œillères à sa conscience. Il est domestiqué, il craint le doute, mais se pense libre et positif comme un internaute.

Le non-conformiste, lui, conscient et lucide (mais souvent perçu comme un névrosé, un anarchiste, un «mésadapté», un militant et quoi encore) a la tâche urgente d'arracher les masques, de dénoncer les supercheries, détruire les mythes, refuser la mode, rendre inutile la logique marchande, déployer sa lucidité, affirmer sa singularité et refuser le port de la laisse dont on oblige l'achat au prix fort de l'assujettissement. Oyez! Oyez! Dissidents! Soyons rebelles, insoumis, critiques, défendons tous ceux qui sont allergiques à la servilité, renversons les valeurs, luttons contre cette fâcheuse tendance qu'ont les hommes à préférer l'idée qu'ils se font de la réalité plutôt que la réalité elle-même! «Être à soi-même sa propre norme.» Construire sa singularité comme une œuvre d'art, sans les artifices commerciaux, mais enracinée dans l'universel humain et l'amour de la vérité. Voilà ce que c'est que de philosopher.

Un jour Diogène disait de Platon: «À quoi peut bien nous servir un homme qui a déjà mis tout son temps à philosopher sans jamais inquiéter personne.» Face à la pensée unique, au conformisme hégémonique et à l'anesthésie du divertissement confortable, que chaque non-conformiste devienne inquiétant. Un peu plus philosophe.

«Prendre les choses avec philosophie», ce n'est pas seulement accepter les malheurs ou se soumettre devant les vicissitudes de la vie. C'est avant tout une utilisation du doute et de la critique pour une plus grande autonomie intellectuelle, pour une maîtrise de sa propre pensée ; ce n'est plus s'assujettir aux lieux communs, mais pratiquer un esprit rebelle à leur égard ; ce n'est plus se conformer à ce que tout le monde dit, pense ou fait, mais faire preuve de scepticisme plus que de stoïcisme. C'est combattre tout hégémonisme, tout impérialisme et se méfier des soi-disant « vérités » qui ne se discutent pas. « Prendre les choses avec philosophie », véritablement, c'est affirmer une lucidité, cette lumière de l'esprit qui, loin d'aveugler comme la foi, donne au regard une clarté permettant l'étonnement, l'amour, l'humour, l'humilité, ces puissances toutes simples qui font la dignité humaine.

SUGGESTIONS DE LECTURE

Charlotte Joko Beck, *Soyez Zen*, Paris, Pocket, 1990. Loin de notre propos ? Pas du tout ! Il est temps de faire connaissance avec la sagesse orientale et de comprendre ses liens avec les sagesses occidentales.

Sébastien Charles, *Une fin de siècle philosophique*, Montréal, Liber, 1999. Des entretiens avec des philosophes actuels qui révèlent la pérennité de la philosophie.

Jeanne Hersch, *L'étonnement philosophique*, Paris, Gallimard, 1993. Une introduction à la philosophie en termes simples et clairs ; une histoire merveilleuse, celle de l'étonnement.

Les stoïciens et Épicure, *L'art de vivre*, Montréal, CEC, 1998. Dans une collection qui porte bien son nom « Philosophies vivantes », on présente la biographie et les principaux textes des « philosophes du bonheur » de l'Antiquité grecque et latine.

Michel Onfray, *Cynismes*, Paris, Grasset, 1990. Une agréable plongée dans l'univers de la philosophie populaire, subversive et provocatrice.

http://agora.qc.ca/encyclopedie.nsf Le site de la revue philosophique québécoise, *L'Agora*. Une véritable encyclopédie. Les articles y sont nombreux et jamais trop longs. Une excellente manière de s'initier à la philosophie et d'y faire des recherches.

CHAPITRE 2
Les idées mènent le monde

Il est plus élégant d'affirmer que ce sont les idées qui mènent le monde plutôt que les intérêts les plus bassement cupides. Bien que l'on qualifie nos sociétés de matérialistes, il n'en reste pas moins que les mentalités véhiculent des mythes idéalistes. On a les deux pieds dans le confort matériel et la tête dans les nuages.

La locution est attribuée à Ernest Renan. Elle signifie que la représentation du réel, les idéologies, les spéculations qui touchent les plus graves problèmes et les courants d'idées ont plus d'importance que le réel lui-même. Affirmer que « les idées mènent le monde », c'est faire preuve d'idéalisme*. Et alors ? Les idées mènent-elles ou non le monde ? Je ne peux répondre sans considérer d'abord les notions d'idée et de monde. Et pour cela, il faut consulter les philosophes qui ont, c'est entendu, des positions différentes : idéalisme ou matérialisme*. Voilà un conflit traditionnel qui a été, est et sera sans doute longtemps objet de discussion, de tension et d'ambigüité. Essayons d'y voir clair en simplifiant, obligatoirement.

Idéalisme et matérialisme dans le langage courant et en philosophie

Les mots *idéalisme* et *matérialisme* dans le langage courant ont un sens très différent de ce qu'ils signifient en philosophie. Au sens courant, l'idéalisme est une attitude qui consiste à croire à un idéal moral et à lui subordonner ses actes. Le sens commun qualifie d'idéaliste une personne qui vise un idéal à la fois élevé, mais disproportionné par rapport à la réalité, une personne qui manque de réalisme ou de pragmatisme. Elle pense ou rêve plus qu'elle n'agit, elle vise de nobles idéaux sans pour autant avoir les deux pieds sur terre pour pouvoir les atteindre. L'idéaliste est une sorte d'utopiste qui n'a pas le sens pratique, qui a la tête dans les nuages. C'est très péjoratif de se faire traiter d'idéaliste dans un monde comme le nôtre dont les habitudes pratico-pratiques et utilitaristes le font souvent qualifier de matérialiste…

Or le mot matérialisme, aussi, souffre, dans le discours social, d'un glissement de sens par rapport à celui que l'on retient en philosophie. Que dit-on d'une personne ou même d'une société matérialiste ? Qu'elle ne s'intéresse qu'aux valeurs matérielles, économiques, marchandes ou monnayables ; qu'elle ne se préoccupe que de ce qui est calculable en argent, que de ce qui a un prix. « Une chose vaut dans la mesure où elle a un prix, et ce qui n'a pas de prix ne vaut rien. » L'homme et les valeurs dites spirituelles sont oubliés. Matérialisme dans le langage populaire s'oppose donc aussi à humanisme* et à spiritualisme*. Bref, dans ce sens trivial, le matérialiste est souvent perçu comme un réaliste terre-à-terre et pragmatique sans grandeur d'âme, mais il est, finalement, moins mal vu que l'idéaliste utopiste, poète ou philosophe. En tous cas, il a l'avantage de ressembler à la grande majorité de ses contemporains.

En philosophie, il existe plusieurs formes d'idéalismes et de matérialismes, mais il serait inopportun ici d'en faire un inventaire détaillé, car il faudrait relire toute l'histoire de la philosophie. Essayons donc d'en retenir l'essentiel.

L'idéalisme est une doctrine qui prend les idées pour des réalités substantielles qui existent en soi, indépendamment de notre conscience ou de notre connaissance ; les idées sont des modèles ou notions qui ont la solidité des références éternelles. Des réalités situées dans une sorte de Monde idéal (ou Ciel intelligible, selon l'expression) qui agissent sur le monde matériel. Cet idéalisme est celui de Platon : il fait des idées un monde plus réel que le monde sensible. Par exemple, la Justice en soi est parfaite et éternelle, alors que la justice des hommes, celle de la réalité terrestre, est imparfaite et changeante. La réalité stable des Idées pures prévaut sur celle, éphémère, des choses concrètes [1].

Par extension, l'idéalisme place les choses de l'esprit, telles la conscience, les idées, les théories, la raison, avant et au-dessus des réalités matérielles comme les sensations, les expériences concrètes, la pratique, la sensibilité. Ainsi, le philosophe idéaliste est convaincu que l'« idée » (universelle et parfaite) de chaise est première dans le processus de la fabrication de la chaise matérielle, car il faut savoir ce qu'est (l'essence d') une chaise avant de la réaliser : l'idée avant la chose, l'esprit avant le concret, le haut d'abord, le bas ensuite. Le supérieur mène à l'inférieur. Comme on peut le constater, cette manière de penser est assez courante. L'idée qui mène. L'essence, le concept avant l'existence réalisée.

Le philosophe matérialiste va plus loin, en un sens, puisqu'il affirme que si la chaise matérielle a pu être construite à partir d'une idée, celle-ci a aussi son origine. Laquelle ? Non pas dans un monde spirituel ou intelligible, mais dans un monde matériel : quand on est assis sur une bûche ou sur une pierre, on a une sensation très concrète d'inconfort et c'est dans ce contexte corporel cru que l'idée d'un meuble confortable s'élabore. C'est

1. L'idéalisme de Platon est appelé « réalisme » en ontologie* (car selon lui les Idées sont réelles) ou « essentialisme » (car les essences ont plus d'importance que les existences concrètes), mais en épistémologie*, c'est Aristote qui se réclame — contre Platon — d'un réalisme (qu'on a appelé naïf après Kant).

donc une expérience du corps qui est, ici, à l'origine de toute réalisation plutôt qu'une idée intellectuelle. Le bas vers le haut, l'inférieur qui mène au supérieur.

Le matérialisme philosophique donnera priorité à la matière, aux expériences sensibles, au corps, à la pratique, à la nature par rapport aux idées, à la conscience, aux choses de l'esprit, à l'âme, à Dieu. Ainsi, pour un matérialiste, rien ne va à l'intelligence sans passer par l'expérience des sens. Rien ne va à l'esprit sans être de la nature ou du corps. Ou encore, « ce n'est pas la conscience des hommes qui détermine leur manière d'être en société, mais inversement, c'est leur être social ou insertion sociale qui détermine leur conscience » (Marx). Ce n'est pas la conscience ou les idées du riche qui font de lui un riche, mais c'est sa richesse et ses intérêts concrets qui influent indubitablement sur sa conscience et sa vision du monde, donc ses idées.

Sur l'opposition traditionnelle entre matérialisme et idéalisme, il y aurait beaucoup à dire. L'histoire des idées a connu tant d'affrontements ! Il serait opportun lors d'un approfondissement d'apporter un tas de nuances, mais resserrons. Le mouvement idéaliste évoque une descente ou une émanation du haut vers le bas ; le mouvement matérialiste décrit une ascension ou une élévation du bas vers le haut.

Des modèles et des conflits

Les idéalistes ont des modèles, des paradigmes à proposer auxquels il faut se conformer ; les matérialistes ont des programmes d'action inspirés des confrontations ou des contradictions concrètes à régler : des conflits.

L'idéaliste croit que l'idéal existe, qu'un modèle parfait existe et qu'il faut s'y soumettre ou s'y conformer. Platon voulut démontrer qu'une Cité intelligible et parfaite existait en soi. Et que le philosophe, connaissant ce Monde parfait, pouvait gouverner et devenir roi. Tentons une actualisation pour bien comprendre toutes les implications d'une telle doctrine.

Les économistes d'aujourd'hui croient que le Marché est le modèle idéal et qu'il existe en soi et qu'il faut s'y soumettre comme à une «tendance lourde naturelle» ou à un ordre «transcendant» qui donne sens et valeur : en effet, performance et rentabilité n'ont de sens que par rapport au Marché. C'est le Marché comme idéal et non l'homme concret qui est la mesure de toute chose. Conséquemment, il faut connaître les règles du marché ; d'où le statut de «scientifiques» des économistes qui possèdent la «science royale». Bien que l'économie soit loin d'être une «science exacte», on doit les écouter, on doit les suivre. Ils ont reçu des prix Nobel. Leur «science» règne actuellement comme une sorte de dictature ; leur savoir a un grand pouvoir et une grande valeur puisqu'il est le seul qui s'inspire de l'idéal, du modèle en soi, de la vérité. C'est de l'idéalisme. Du platonisme : leur théorie gouverne comme celle du roi philosophe. Leurs idées «mènent le monde», comme dans tout totalitarisme même *soft*, car leur vérité et leurs lois prescrivent et ne pardonnent pas.

Dans les faits, c'est l'argent et les intérêts matériels qui mènent le monde, mais le néolibéralisme comme système économique et comme idéologie intellectuelle s'impose comme un *idéal* à suivre, tel un ordre «naturel» idéalisé («Le capitalisme, c'est la vie!» ai-je déjà entendu d'un économiste pris au sérieux) qui doit nous mener. L'*idée* de «nature» s'impose dans le discours comme une référence idéale ou comme un fait inévitable. Le réel tel qu'il est décrit par les «savants économistes» se métamorphose en norme, en réel prescrit. Voilà! Nous vivons dans une société idéaliste quant à son discours, mais matérialiste quant aux comportements. Demandons aux «puissants de l'économie», qui se rencontrent chaque année à Davos en Suisse, si «les idées mènent le monde», ils répondront : «Oui, les nôtres!» Mais dans les faits, leurs idées ne font que justifier un système économique qui fonctionne bien pour eux et corroborer le pouvoir de leurs capitaux qui dominent et qui mènent le monde. Ils ne tirent pas leur puissance de leurs idées, mais de leurs capitaux. Les idées qui circulent n'ont qu'un rôle de légitimation des comportements sociopolitiques déjà prescrits par les intérêts économiques. Ces idées disent aux citoyens ou, mieux, aux consommateurs : vous n'avez pas à penser, faites ce qu'on vous dit puisqu'on a la vérité. Mais pour nous, citoyens, qui réfléchissons et observons, n'est-ce pas un danger pour la démocratie ? On semble vouloir nous répondre d'en haut à la manière du roi philosophe : le peuple n'a pas à connaître la vérité, il n'a qu'à suivre les lois. Il n'a qu'à croire. Seule une minorité, une élite peut s'élever et accéder à cette difficile « science » et, du haut de celle-ci, gouverner la masse. De haut en bas. Le supérieur guide et instruit l'inférieur. Intéressant pour un... démocrate !

Le matérialisme, au contraire, est une négation de cet idéal qui prescrit ou commande les comportements et les pensées. Le philosophe matérialiste a un idéal comme tous les philosophes et même comme tout homme qui réfléchit sauf que, pour lui, cet idéal n'existe pas en soi. Il est à faire. Une société plus juste est à bâtir à partir d'une humanité concrète avec ses forces et ses faiblesses. Et pour construire cette société à la mesure de l'homme, il donne au marché non pas le statut d'idéal ou de modèle ou de fin, mais celui de simple moyen, si efficace soit-il. Le matérialiste ne déifie rien, ni le marché, ni l'efficacité, ni le pouvoir. Ni l'homme.

Je disais plus haut que le matérialisme philosophique se définit par le primat de la matière sur l'esprit (la pensée ou les idées). Cela ne signifie pas que la « vie de l'esprit » ou que les idées ne soient pas possibles, que le progrès ou l'évolution ne soient que des vues de l'esprit. Au contraire. Bien que cela puisse sembler contradictoire, le philosophe matérialiste vise un idéal peut-être même une utopie, mais à partir de la terre, à partir de ses désirs, à partir de son corps, de ses comportements et de ses expériences. À partir des nécessités. À partir de conflits. De bas en haut. L'arrière vers l'avant. L'inférieur vers le supérieur. De la pénible exploitation vers le progrès allégeant ; de l'oppression vers la liberté. Considérons l'exemple de l'évolution : la matière inorganique produit la vie, la vie non consciente produit la pensée, dans une sorte d'ascension. L'esprit n'est lui-même que le produit le plus élevé de la matière. Le Bien idéal n'existe pas en soi, comme le pensent les platoniciens, les idéalistes et les religieux ; le bien, il faut le faire à partir de ses désirs et de ses conditions matérielles, sociales et économiques. La justice n'existe pas en soi, il faut la faire, l'améliorer de jour en jour, incessamment, par des luttes constantes. C'est ça, la réalité, c'est ça, l'histoire.

Les idées ont leur histoire, celle des événements

Les idées ne viennent pas du ciel, mais des faits, et les faits sont historiques. Par exemple, plusieurs croient que la Révolution française prend ses racines dans les idées antimonarchistes ou républicaines ou démocratiques très en vogue au dix-huitième siècle en Europe et notamment en France. Cela a du sens, bien sûr, mais cette manière idéaliste d'explication est un peu courte. Le matérialiste y cherchera les causes plus profondes dans les tensions créées par des nécessités socioéconomiques de l'époque et constatera facilement que les idées courantes n'étaient que des représentations possibles pour comprendre et, pourquoi pas, contribuer à la solution des conflits toujours de plus en plus criants.

Les idéologies antimonarchistes ou républicaines de l'époque faisaient figure de mobile, d'inspiration ou d'«alibi langagier» pour qu'une couche ou classe de la société de plus en plus forte économiquement, la bourgeoisie, puisse prendre part au pouvoir politique qui lui faisait gravement défaut. Les idées démocratiques qui circulaient en France dans les décennies prérévolutionnaires n'étaient pas inutiles ni inopérantes, mais elles étaient surtout symptomatiques de problèmes plus profonds. La grogne bourgeoise qui sut se munir au cours des siècles précédents d'idées nouvelles (tenant lieu de programme sociopolitique) avait de plus en plus de prise dans le cœur et l'entendement de la population, elle aussi opprimée par le pouvoir absolu des rois. Autrement dit, ce ne sont pas particulièrement les idées qui ont déclenché la Révolution, mais surtout les crises économiques, les tensions politiques et de nouveaux intérêts de cette classe qu'on appelait le tiers état, la bourgeoisie.

Les idées nouvelles prennent du temps à se définir clairement et à s'imposer dans les consciences comme des «valeurs». Pour bien comprendre les fondements *matériels* des idées, le matérialisme — qui semble, dans ses explications, toujours plus complexe parce que plus concret — se doit de fouiller dialectiquement les événements. Pour comprendre le haut, il faut aller voir en bas.

Le «nouvel humanisme» qui s'élabore au quinzième et seizième siècles contient un ensemble d'*idées* qui auront un impact important à partir du Siècle des lumières jusqu'à nos jours. L'humanisme de la Renaissance s'appropriera les valeurs nouvelles et laïques en dérobant à Dieu certains de ses attributs : l'homme pourra désormais se considérer, selon la célèbre proposition de Descartes, «comme le maître et le possesseur de la Nature».

Une idéologie n'apparaît jamais sans bases matérielles et économiques. La Renaissance se caractérise par l'émergence du capitalisme : commerce, production manufacturière, utilisation généralisée du capital et nouveaux intérêts, donc, nouvelles classes sociales. C'est à ce niveau concret des comportements humains que l'on peut comprendre l'apparition de certaines idées et leur valorisation philosophique, idéologique et juridique. Quelles sont ces nouvelles valeurs ? L'individu, le moi, l'égalité, la propriété privée, la liberté, la raison, le progrès... Illustrons cela.

Le marchand est un *individu* et quand il négocie avec un autre individu, cela suppose l'*égalité* entre les deux. Le commerce fait apparaître l'avantage de l'égalité qui devient un droit sans lequel les transactions commerciales n'auraient pas de sens. Dans l'ancien système féodal, le noble ne négociait pas avec le paysan, il ordonnait («Le Roi ne négocie pas avec ses sujets», disait Louis XIV). Dans le féodalisme, on croyait à l'*inégalité* des droits, car elle faisait partie de l'ordre hiérarchique divin qu'il fallait respecter. Dans le capitalisme naissant, le commerce des biens (propriétés privées) *égalise* les droits. De droit commercial, cette notion d'égalité des individus deviendra rapidement un concept juridique et un concept philosophique de première importance : le *moi* humain est un sujet de droit inaliénable et acquiert dès le dix-septième siècle un statut philosophique : « Je suis une substance pensante » (Descartes). L'individualisme comme idéologie et la vie individuelle comme comportement prendront de plus en plus de place aux dépens de la vie communautaire à laquelle on s'était accoutumé au Moyen Âge. L'individu n'est plus un simple membre d'une communauté, il est désormais le pivot central d'une société, laquelle devra en respecter toute la dignité.

Envisageons les choses sous l'angle de la liberté. L'utilisation de plus en plus généralisée en Europe du capital mobile (la monnaie, la richesse « liquide ») permet une *liberté* commerciale que ne pouvait connaître l'économie très régionalisée du féodalisme. Encore une fois, le principe même du commerce suppose une liberté entre deux individus propriétaires qui négocient ou transigent. Cette liberté des individus dans le commerce se mutera bientôt en liberté des individus dans la vie, liberté individuelle dans la vie spirituelle, liberté de la pensée, liberté de la volonté, liberté intérieure, et finalement libre arbitre (notion chrétienne réhabilitée, sécularisée, laïcisée). Cette liberté de l'individu, le nouvel humanisme la considère comme le plus grand bien de l'homme. La Renaissance en fera une propriété de la nature humaine et, au dix-huitième siècle, l'un des fondements des droits de l'homme. Voyez ? De simple comportement de commerce, la liberté se hausse au statut de droit de l'homme. De bas en haut. Ce n'est pas l'homme qui découvre la liberté « dans les archives éternelles de son essence » selon l'expression de Rousseau, mais des hommes qui, à travers les nécessités économiques, exigeront le respect d'une manière pratique d'agir : « en toute liberté ».

Avec la liberté individuelle revendiquée comme le propre de l'homme, le capitalisme se targuera de permettre aux individus de réussir à partir de leur propre initiative et, ainsi, de pulvériser la notion même de classe sociale. De simple artisan ou petit marchand, on peut, effectivement, grâce à ce système et à cette nouvelle idéologie, devenir propriétaire d'entreprise et grand commerçant, riche et puissant.

Tout cela est vite dit, je sais. Ce n'est qu'un exemple de perspective matérialiste de l'histoire qui se déroule non pas à partir de l'Esprit ou de la Raison, comme l'affirment certains philosophes idéalistes, mais à partir de faits. L'histoire n'est pas un déploiement de la Conscience ni de la Liberté ni des Idées, mais une conjugaison complexe de hasards, de luttes d'intérêts, de rapports de force et de nécessités concrètes lesquelles sont mères des idées.

Les idées et le pouvoir?

Les idées mènent le monde? En tout cas, celles qui «mènent» le monde appartiennent toujours à ceux qui dominent économiquement et dont le capital (quel qu'il soit — foncier, monétaire ou intellectuel) mène effectivement le monde. Est-ce une coïncidence? Les idées qui mènent sont toujours celles qui rapportent... à ceux qui ont le pouvoir.

Les sciences appliquées, certaines idées scientifiques, les technologies, bref, les savoirs techniques déterminent, aujourd'hui, le cours des choses. Effectivement, depuis qu'ils sont devenus du «capital rentable», les savoirs ont de l'influence. La raison s'est instrumentalisée au profit de la gestion économique et de la production des richesses et, comme la force de l'argent, elle joue un rôle de plus en plus important en économie d'abord, puis, finalement, sur le cours de l'histoire. La raison technique est une «matière grise» exploitable et exploitée. Comme une ressource. Et derrière cette ressource, tout intellectuelle qu'elle puisse être, il y a un intérêt, un désir de rentabilité et de pouvoir qui en fait une richesse potentielle ou acquise pour ceux qui possèdent.

Ce sont des idées qui mènent le monde? Non. Ce sont ceux qui ont le pouvoir de la richesse et qui contrôlent les ressources matérielles et intellectuelles dont certaines idées exploitables. Non seulement protègent-ils ce capital, mais le rendent-ils aussi opérationnel et rentable selon la logique du profit et de sa croissance.

Mais qu'est-ce que le pouvoir ? Tentons une définition assez courante en philosophie : « Avoir la capacité de marquer de sa volonté et de ses intérêts la pensée et le comportement des autres par l'usage d'une force légitimée. » Cette force, sont-ce les idées ? Non ! Je pense qu'aujourd'hui il serait plus approprié de dire dans l'ordre : l'argent, les médias et le politique. Les idées et les mots ne sont que leurs véhicules ; la rhétorique, l'art de bien parler ou de persuader par le discours fait partie des appareils et apparats du pouvoir. Nous y reviendrons plus bas.

Tentons un rapprochement : argent, propagande et politique sont liés comme un tout et ce tout s'appelle l'*économisme*, une doctrine qui privilégie, dans une société, la croyance ou simplement la soumission aux méthodes et aux théories économiques. C'est un ensemble théorique qui vient des universités et qui, en concertation avec les puissants du commerce et de la finance et ayant l'aval des élus, est appliqué dans la vie quotidienne des consommateurs contribuables et citoyens. Ça vient d'en haut comme une sorte de « religion » ou de « dieu » en qui il faut mettre toute sa foi et dont il faut respecter les tables de la loi. Une religion dont le clergé est l'ensemble des médias qui répandent la « bonne nouvelle » et dont la propagande publicitaire contient l'essentiel de la doctrine. Une religion, enfin, dont l'autorité effective est entre les mains de la Bourse, mais dont l'autorité théorique est le politique qui doit, comme tout ce qui est théorique, se plier aux faits réels, c'est-à-dire consentir au véritable pouvoir qui est celui du capital ou du marché. On pourrait ironiquement rajouter que l'économisme prêche, comme toutes les autres grandes religions, une vertu principale : le sentiment qui fait entrevoir comme probable la réalisation de ce que l'on désire, l'espérance.

Chaque grande époque se caractérise par une classe sociale dominante, un mode de production généralisé et une institution privilégiée plus puissante que les autres dans la société. Aujourd'hui, la classe dominante n'a pas de nom révélé au grand jour, mais chacun sait que c'est celle qui possède et contrôle les capitaux et les conseils d'administration de méga entreprises transnationales. Cela veut dire un tout petit pourcentage de la population : certains disent 1 %, d'autres avancent trois mille personnes. J'ai même lu dans une revue sérieuse [2] que 211 fortunes contrôleraient l'économie mondiale. Le mode de production dominant est sans contredit le capitalisme postindustriel que d'aucuns appellent la nouvelle économie (à cause du savoir qui devient capital et moyen de production) ou l'économie de marché et, enfin, l'institution plus puissante encore que le droit ou les religions institutionnalisées : les médias, dont la publicité est le plus pur fleuron, car elle en est à la fois le laboratoire expérimental et la finalité: convaincre le plus efficacement possible. C'est par les médias que la propagande du système s'élabore et endoctrine. Ce sont les médias qui fabriquent le consentement populaire et qui réduisent les populations à l'apathie politique. C'est par les médias que l'on persuade les consciences, conditionne les pensées et les comportements des individus pour que le pouvoir s'exerce en douceur sans trop de répression en proclamant à tous que c'est dans leurs intérêts que le capital croît et que le marché fonctionne librement sans entraves politiques, sans contestation syndicale, etc.

D'ailleurs, on n'a qu'à regarder qui contrôle les médias pour en connaître les fonctions : les grands propriétaires milliardaires directeurs du libre marché, bref, le business. C'est le business qui fixe les critères des grands journaux ou réseaux, tels *New York Times*, *Washington Post*, NBC, CNN, qui servent de références aux autres réseaux d'informations. Et qui fait vivre les médias ? La publicité. Soixante pour cent du contenu du *New York Times* est publicité. Et qui fait vivre la publicité ? Les consommateurs : chaque bien ou service publicisés que l'on achète a son prix, et dans ce prix, il y a une proportion qui est réservée au coût de la publicité lequel est assumé par le client ; de telle sorte que, selon des statistiques récentes, le consommateur canadien paie en moyenne chaque

2. *The Walrus*, décembre 2003.

année trois cent cinquante dollars en publicité. On paie pour *avoir* de la publicité à la télé, à la radio, dans les journaux. On paie pour se faire conditionner à payer pour une consommation toujours plus obligatoire. Personnellement, je préférerais débourser trois cent cinquante dollars par année pour *ne pas avoir* de publicité. Qui s'en plaint ? Personne. Pourquoi ? Les médias nous répètent que c'est grâce aux commanditaires ou sponsors que la télé est « gratuite », que c'est grâce à la publicité si les marchés prospèrent, si notre confort s'améliore et si le public s'informe. C'est une idée qui fait son chemin jusque dans les consciences. Mais dans les faits, les grands journaux ou les grands réseaux de communication, que nous offrent-ils ? De l'information ? Non. Ce n'est pas de l'information qu'ils vendent à un public, c'est plutôt un public qu'ils vendent à des publicitaires.

Les médias en général (l'exception est rarissime) ont un objectif simple : rentabilité. Comment ? D'abord, distraire la population par des téléromans, séries dramatiques ou drolatiques, par des émissions qui présentent un monde fictif ou illusoire ou par les sports qui créent des habitudes irrationnelles de soumission tout en générant un chauvinisme plat. Ensuite, tenir à l'écart des vrais enjeux politiques ou économiques en nous présentant des *reality shows*, des catastrophes locales, des « nouvelles de chiens écrasés » avec témoignages *live*, des spectacles d'effusions sentimentalo-personnelles, etc. Enfin, les médias réduisent notre capacité de penser par leur manière de nous marteler de clips, de *talk shows* promotionnels, d'infopublicité, de faux débats où les invités n'ont que quelques secondes pour exposer leurs idées. Et je n'insiste pas sur la rentabilité des méga entreprises des grands journaux, réseaux de télévision et de distribution de films, vidéocassettes, disques, etc., récemment fusionnés en quasi monopoles. Bref, les médias, c'est un *business* entre les mains du Business.

Les idées mènent le monde ? Non, elles asphyxient les pensées. Les véhicules de la pensée travaillent à l'abêtir. La rhétorique ne nous aide plus, comme dans l'Antiquité à parler et à penser pour avoir du pouvoir, non ; la rhétorique actuelle prend le pouvoir. Nous vivons sous une sorte de «rhétocratie». Nous assistons au pouvoir de la parole, non pas celle qui argumente, discute ou dialogue à travers les idées, mais celle qui devient si puissante par ses images qu'elle brouille la critique et cache le véritable pouvoir: celui de la richesse et de sa croissance.

Est-ce que les idées mènent le monde? Sommes-nous des idéalistes ou des matérialistes? Aux États-Unis, pays modèle par excellence, 60% de la population pense que les riches sont riches parce que Dieu les récompense; 70% que le paradis ressemble à une banlieue de Los Angeles; 80% qu'il y a en chaque homme une âme libre et responsable de sa réussite, liberté donnée par Dieu tout-puissant qui protège toute l'Amérique, car Dieu bénit l'Amérique, et maintenant tout le marché. Mondial. Le bien vient d'en haut. C'est une idée.

SUGGESTIONS DE LECTURE

Noam Chomsky, *La fabrique de l'opinion publique*, Paris, Le serpent à plumes, 2003. Un linguiste philosophe du Massachusetts Institute of Technology dévoile les mécanismes et les dessous de la propagande américaine et ses formes de censures.

André Comte-Sponville, *Traité du désespoir et de la béatitude*, t. 1 : *Le mythe d'Icare*, Paris, PUF, 1984. Un livre plein de nuances et de profondeur mais d'une grande clarté et accessible à un grand public cultivé.

Karl Marx et Friedrich Engels, *L'idéologie allemande*, Paris, Éditions sociales, 1968. Le petit classique du matérialisme historique. Pénétrant et indispensable comme grille d'analyse de l'histoire.

Michel Musolino, *L'imposture économique*, Paris, Textuel, 1997. Un économiste et philosophe s'amuse à traquer les erreurs et les énormités du discours économiste des dernières années.

http://fr.encyclopedia.yahoo.com/articles/ni/ni_789_p0.html. Site convivial et très complet sur tout ce qui concerne le matérialisme philosophique. Les articles, nombreux et accessibles à un grand public, font les nuances et les approfondissements nécessaires.

CHAPITRE 3
Après moi, le déluge !

Ceux qui ont actuellement en main les pouvoirs de l'économie sont incapables de prévoir le moyen terme et le long terme ni d'élaborer un projet réfléchi de l'avenir. Ils ne travaillent que pour le présent, le profit immédiat. Et pourtant, les problèmes touchant la santé de la planète et les perturbations écologiques s'accumulent pour demain. Devenons-nous irresponsables vis-à-vis les générations futures ?

« Après moi, le déluge ! » est attribué à Mme de Pompadour, favorite de Louis XV. Se dit à propos d'une catastrophe dont on se moque, car postérieure à sa propre mort. Par extension, se dit lorsqu'on profite du présent, sans souci du lendemain.

Cette attitude d'insouciance pour le futur peut être interprétée de diverses façons. On sait que l'animal, n'ayant pas, comme nous, conscience du temps et ne sachant donc pas qu'il va mourir, vit selon un instinct qui ne réagit qu'au présent (ici et maintenant). Et cet instinct l'oblige à faire perdurer sa vie le plus longtemps possible en tant qu'individu et en tant que membre d'une espèce. La vie animale est instinctivement réglée (chasse, délimitation du territoire, rut, sélection du partenaire sexuel, nidification...) pour le présent comme pour le futur, sans conscience du temps donc sans responsabilité par rapport à l'avenir. C'est ce qu'on appelle la loi de la sélection naturelle : une lutte pour la vie présente et la reproduction des plus aptes. Or, la très grande majorité des espèces animales ayant vécu sur la terre sont effectivement disparues...

Chez l'être humain, c'est différent, car il est doté d'une capacité d'anticipation, il a conscience du temps. Il sait qu'il va mourir en tant qu'individu et peut-être même en tant qu'espèce. Et aujourd'hui, les êtres humains sont de plus en plus sensibilisés à leur fragilité et à leur dépendance à l'égard de l'environnement naturel. Ils savent plus que jamais qu'ils doivent prendre en charge la gestion de leur planète pour la sauvegarder et garantir pour eux-mêmes et leur descendance une survie qu'ils souhaiteraient la plus longue possible. Comme un «bon père de famille» qui doit penser au bonheur futur de ses enfants, nous avons tous, humains, ce devoir.

Au cours de l'histoire, certaines philosophies morales ont proposé, pour le bonheur de l'individu et même de l'humanité, des attitudes de vie fondées sur le non-espoir, c'est-à-dire sur un présent confiant dans sa continuation et sans regret du passé. Ces éthiques du bonheur exigent une profonde lucidité sur le sens ou la signification de l'existence humaine : le futur n'existe pas, pourquoi le craindre ; le passé est terminé, pourquoi le regretter ? L'homme n'a d'autre but que le bonheur, pourquoi ne pas le réaliser dans sa propre vie ? À première vue, on pourrait juger ces philosophies (bouddhisme*, épicurisme*, stoïcisme*...) comme superbement égoïstes et sans prévoyance pour l'avenir. Ce n'est pas le cas, car toutes proposent une vie fondée sur l'amour, le respect de l'autre, l'amitié, la compassion, la bienveillance, la générosité et la simplicité. Ce sont des sagesses conçues pour le bonheur de tous ; ce ne sont non pas des idéologies qui ont pour but inavoué de rendre les individus socialement rentables pour ceux qui détiennent les pouvoirs. Une sagesse n'est pas une politique de domination.

De l'individu au système économique

« Après moi, le déluge ! », proféré par des individus, n'est pas trop grave quoique cela puisse révéler de leur part une sorte d'inconscience égoïste. Mais que la maxime en vienne aujourd'hui à illustrer tout un système d'administration et de domination économique, cela est proprement catastrophique. Je m'explique.

Ceux qui contrôlent l'économie par la maîtrise des jeux du commerce et de la Bourse vivent un présent intéressé: le profit immédiat. Et ce n'est pas moi qui le dit. Les experts de la finance nous affirment que les activités boursières fonctionnent selon des échéances serrées : le court terme va de deux heures à deux jours ; le moyen terme, de deux jours à deux semaines ; le long terme de deux semaines à deux mois. Bref, le présent, voire l'urgence sur le parquet de la Bourse. Et puisque les grandes entreprises productrices de biens, de services et de dividendes sont cotées en Bourse, elles doivent, sous la pression des actionnaires, se conformer au principe de la performance immédiate, à une compétitivité constante pour que le bilan trimestriel traduise en chiffres une croissance de production et de consommation donc de profits.

Le présent est si déterminant dans les activités économiques qu'il est nécessaire de prévoir un peu l'avenir pour mieux comprendre et contrôler le présent. Or, toute prédiction faite par des « experts » se révèlent la plupart du temps comme des vues très approximatives, semblables à celles faites par les astrologues ou, au mieux, les météorologues. Ainsi, les illustres Merrill Lynch, Nesbitt-Burns ou institutions telles le Conference Board ou C. D. Howe prédisent toujours un chaos économique advenant un changement social ou politique [1]. Ces maisons de courtage et

1. Par exemple, la victoire d'un oui à un référendum sur la souveraineté du Québec.

groupes de recherche et d'analyse économiques jouissent auprès des médias (propriétés de grands *holdings*) d'une cote de popularité et de crédibilité telle que leurs éditorialistes s'en inspirent à chaque occasion pour enseigner au bon peuple les mérites des théories économiques. Et pourtant ! Avaient-ils prévu les récessions internationales de 1982, 1990 et 2001 ? C'était pourtant leur domaine, à ces analystes économistes ! Ont-ils été capables de prévoir et de prévenir le fameux krach d'un certain lundi noir d'octobre 1987 ? Ou la chute du mur de Berlin en 1989 ? Ont-ils prévu la chute du peso au Mexique ? La crise monétaire asiatique, les turbulences du rouble et de la politique mafieuse en Russie ? Du réal au Brésil ? De la situation économique en Argentine ? Des confrontations des fanatismes ? Peuvent-ils prévoir les conséquences négatives de la mondialisation des marchés ? Ont-ils pu prévenir la chute du Nasdaq en 2001, la quasi-banqueroute de Nortel et la faillite d'Enron ? Pressenti les tripotages et fraudes comptables dans le plus puissant État capitaliste ? D'une année à l'autre, les « analystes économistes experts » de ces grandes maisons ou banques se trompent sur le cours des monnaies, la croissance du PIB, le taux de chômage, etc. [2]. Quelle est la boule de cristal qui les guide ?

La rationalité irrationnelle

En fait, ces institutions économiques ou financières se font une obligation de réfléchir sur ce que sera demain pour que nous ayons régulièrement des nouvelles de notre avenir. Mais elles n'ont jamais rien prévu correctement puisqu'elles ne s'occupent que de calculer le présent, le court terme et sa poursuite immédiate en vue de rassurer les investisseurs pour qu'ils continuent de croire en la

2. À titre d'exemple, en décembre 1997, on prévoyait pour le dollar canadien un taux de 0,735 $US en automne 1998. Or, la réalité fut tout autre : le dollar canadien atteignit 0,65 $US. La même observation vaut pour les prédictions de 2001-2002. La hausse spectaculaire du dollar canadien en 2003 fut complètement inattendue mais expliquée après coup.

possibilité de faire de bonnes affaires *actuellement* sans trop craindre le futur. La logique des experts, qui se veut rassurante par sa cohérence, est une analyse rationnelle du marché, mais la Bourse en est le cœur irrationnel parce que guidé par aucune autre nécessité que celle de la « main invisible », aléatoire et irrationnelle par définition. La fébrilité émotive des spéculateurs est bien connue : quand le taux de chômage baisse aux États-Unis, la Bourse de New York se met à craindre l'inflation par le plein emploi et, donc, la baisse de la valeur du capital. Or, seule cette valeur compte ; seule la valeur du capital doit croître. C'est la seule croissance qui compte et qui est comptable.

Mais, je nous le demande : pourquoi se fierait-on à ces faiseurs de calculs qui n'ont d'autre but que de rassurer les faiseurs de profits, lesquels n'ont d'autre appétit que d'en avoir toujours plus pour eux-mêmes et qui ne demandent pas mieux que tout soit stable dans le meilleur des statu quo possibles et que rien ne dérange leurs émotions ni la valeur de leurs capitaux, leurs trésors ? On n'a donc aucune raison de s'en remettre à ceux-là mêmes qui n'ont jamais rien fait d'autre pour l'humanité que d'en exploiter les crédulités et les faiblesses.

Malgré cela, la pensée la plus crédible, dite la plus rationnelle, aujourd'hui, reste celle qu'élaborent les gourous de l'économie qui tentent, par une sorte de bricolage intellectuel, de recycler le capitalisme de plus en plus barbare en utilisant des chevilles euphémistiques telles « néo » libéralisme ou « nouvelle » économie ou mouvement « naturel » de la mondialisation ; ou bien en mystifiant les cerveaux par un langage mathématique obscur auquel on adhère avec une foi d'autant plus profonde que l'on n'y comprend rien. Les économistes sont actuellement les experts ou les « scientifiques » les plus consultés, les plus écoutés et les plus crus. Et on peut dire qu'ils sont les seuls dont le rôle et l'utilité soient, curieusement, renforcés par les erreurs qu'ils commettent ou par les lieux communs qu'ils répètent dont celui de la crise (quelle qu'elle soit) qui est toujours mondiale et qui dépend toujours des autres.

Une pensée dominante engluée dans le conformisme libéral

L'économie est en train de faire le monde à son image et rendre impossible toute autre manière de voir le présent et le futur. Elle se présente comme une science objective alors qu'elle n'est qu'une pensée de plus en plus abstraite et, comme toutes les idéologies dominantes, elle s'impose comme une pensée vraie et universelle en niant toute autre idéologie. «Je crois à l'économie de marché; il n'en existe pas d'autre», dit Alain Minc. Bien plus, si l'on s'en tient au dire d'un des chefs de file de la pensée officielle en économie, Francis Fukuyama, la fin du communisme soviétique laisse désormais le monde au meilleur système économique possible: le marché [3]. Le néolibéralisme a tout de suite cru que son application en ex-Union soviétique créerait une terre de liberté et de prospérité, comme par magie. Et tout changement futur dans la nouvelle Russie capitaliste ou ailleurs dans le «monde libre» (guerre, révolution, nationalisme, intégrisme, soulèvement populaire...) ne sera que résurgence ou fantômes du passé comme les misères de la grande dépression (qui fut, elle aussi, imprévisible); au moindre dérangement possible du statu quo, c'est toujours vers une catastrophe que nous entraîne l'imagination de ces malheureux millionnaires. Le présent et l'avenir ne peuvent que se dérouler innocemment, naturellement, raisonnablement, libéralement. Rien de nouveau ne doit s'introduire contre les règles établies. Le capitalisme, c'est la vie sans histoire, c'est la pensée magique sans contraire; il ne peut y avoir aucun *autre* monde ni aucune *autre* pensée; une autre voie est irrecevable; toute critique ou tout mouvement de contestation est considéré, *ipso facto*, comme dépassé. Or, déclarer qu'une pensée est démodée, n'est-ce pas une manière subtile de la censurer. Le capitalisme, ou plus exactement, l'idéologie économiste, c'est la pensée vraie,

---

3. F. Fukuyama, *La fin de l'histoire et le dernier homme*, Paris, Flammarion, 1992.

c'est le monde du même, de l'identique à lui-même et, pourquoi pas, «la fin de l'histoire». «Après moi, le déluge!»

Nos grands «prêtres théologiens» de l'économie ne prévoient (et mal) que pour les besoins du présent; jamais ils n'ont élaboré un projet réfléchi pour l'avenir. Ils n'ont pas de programme, ils ont un modèle: le marché; un paradigme: le monétarisme, auquel il faut se conformer; ils ont une vérité et une seule valeur: la performance économique, à la lumière de laquelle toute action humaine (et notamment toute politique) doit être jugée. L'homme n'est plus considéré comme «la mesure de toute chose», comme à l'époque de l'esclavagisme pourrais-je cyniquement ajouter, c'est le capital (dans sa croissance indiquée en Bourse) présenté comme une Idée pure ou Modèle idéal qui est, aujourd'hui, la mesure indiscutable de toutes choses.

L'économie: une comptabilité de croissance

La «stabilité» du système actuel ne possède pas de mécanisme de régulation autre que celui de la main invisible du marché. Cette «main» du dieu mercantile on la veut «naturelle», donc prioritaire sur toutes interventions juridiques, politiques ou syndicales qui risqueraient de perturber le marché. Souvenons-nous de l'AMI en 1998. Cet accord multilatéral sur l'investissement prescrivait avec une arrogance dominatrice contre toutes chartes, lois et règles progressistes ou non, contre tout mécanisme de régulation juridique ou politique, les droits imprescriptibles du plus fort (les sociétés transnationales). Ces supposés «droits» n'étaient rien d'autre que des obligations imposées aux populations des pays démocratiques ou non. Cet accord fait, en catimini, entre les plus grands proposait une telle inégalité dans les rapports de force que les négociateurs avaient gardé secret le texte élaboré au sein de l'Organisation de coopération et de développement économique (OCDE). La découverte et la dénonciation de cet accord négocié déclencha un tel tollé mondial que plusieurs mouvements altermondialistes se sont alors constitués. Laisser faire la «main invisible», c'est laisser sans surveillance politique et démocratique, les économistes, les affairistes et les spéculateurs du monde entier. C'est laisser aller la croissance du capital sans autre égard que la croissance de sa propre valeur.

La majorité des économistes (monétaristes ou non) ne reconnaissent pas l'importance des coûts externes à la production et à la consommation ; leurs calculs de la croissance sont exprimés en dollars de consommation, en dollars d'investissement ou en monnaie disponible, comme s'il n'y avait aucune limite à la production ou à la consommation. Pour atteindre leur objectif, les détenteurs de capitaux propagent, via les médias et multimédias, le rêve de l'*american way of life*. Ce mythe, mondialement prêché et admis, est un mensonge, car il est physiquement et mathématiquement impossible que l'humanité entière consomme à la manière américaine ; c'est une escroquerie intellectuelle rarement dénoncée. Pour les économistes les plus écoutés, la disponibilité des ressources naturelles, les coûts de la pollution et du gaspillage ne comptent pas. Selon leur modèle, une forte croissance économique pourrait être réalisée dans des conditions de pénurie de ressources naturelles, car ils ignorent les actifs et les passifs ; ce qui est tout à fait irréaliste et irresponsable. Essayons d'y voir plus clair.

Les ressources naturelles d'un pays sont un actif à long terme ; or, elles ne sont pas comptabilisées tant qu'elles ne sont pas extraites. D'autre part, la réduction des ressources naturelles d'un pays n'est pas considérée comme une dépense ni comme une réduction de l'actif, mais plutôt comme un revenu, alors qu'en réalité il y a perte de valeur due au prélèvement — sans compter les «nuisances écologiques» de toutes sortes que celui-ci a engendrées. Pourtant, le bon sens nous dit que les coûts externes, tels la pollution ou les atteintes à la santé, constituent une dette qui devra éventuellement être payée. Ces coûts ne sont pas comptabilisés comme passifs par l'économie, mais plutôt calculés comme un actif puisque les entreprises de dépollution, de décontamination, d'enfouissement de déchets toxiques, d'épuration des eaux... sont, comme toute production, considérées comme revenus et additionnées au PIB. Cette façon de procéder permet d'améliorer l'«image» de notre situation à court terme en remettant les problèmes à plus tard.

«L'incohérence la plus grave du calcul du PIB , avance Luc Gagnon, concerne les actifs ; pour démontrer cela, prenons la situation suivante : un pays, au début de l'année, possède un puits de pétrole ; pendant l'année, plusieurs milliers de barils de pétrole en sont extraits et le puits devient sec ; tout ce pétrole est raffiné et ensuite consommé par des automobilistes qui font des promenades à la campagne (en produisant beaucoup de pollution). Selon la méthode actuelle de calcul, ces activités auront fait augmenter significativement le PIB pendant l'année. À la fin de l'année, les politiciens et citoyens auront l'impression, grâce à ce pétrole consommé, d'être plus riches qu'au début de l'année. En réalité, non seulement toutes ces activités ne les ont pas enrichis mais, au contraire, ils se sont appauvris, puisqu'ils ont un puits de pétrole en moins[4].» Mais cela n'a pas d'importance ; c'est le présent qui compte. «Après moi, le déluge!»

Myopie ou imprévoyance ?

Les comptabilités économiques actuelles, malgré leur énorme crédibilité auprès du public, font une erreur grave de prévoyance. Leur myopie peut être dangereuse en ne faisant pas de distinction entre des dépenses qui font augmenter les actifs et celles qui les diminuent ; en ne comptabilisant pas les coûts externes de l'exploitation, de la production et de la consommation, bref, en ne calculant pas les coûts écologiques de l'économie. Écologie et économie, malgré leur lien intime (si ce n'est que par leur rapport étymologique), sont actuellement considérées comme deux ordres différents et même en conflit : les économistes abhorrent les écologistes et inversement. Alors que le bon sens voudrait que les deux collaborent étroitement en une sorte de

4. L. Gagnon, *Échec des écologistes?*, Montréal, Méridien, 1993, p. 339.

nouvelle science plus globale, plus rationnelle, plus prévoyante : une « éconologie » ou une « écolonomie ». Pour la suite saine et juste du monde.

Ce n'est pas ce qui se fait. Au contraire, les économistes actuels se désintéressent du futur de la planète et ce sont les générations présentes qui empruntent de l'argent, de la santé, du plaisir et du confort aux générations futures. Pourrons-nous emprunter ainsi indéfiniment ? Il est temps que les politiques et la population se préoccupent de ce type d'extorsion que l'économie exerce sur l'avenir : « l'externalisation des coûts », c'est-à-dire la production d'un impact qui n'est pas subi par le producteur mais par quelqu'un d'autre. Ces coûts externes peuvent se manifester sous forme de coûts économiques à court ou à long terme (par exemple, des pertes de productivité) aussi bien que par des coûts sociaux (par exemple, les problèmes de santé). Ils devront tôt ou tard être assumés par quelqu'un. Les perturbations écologiques d'aujourd'hui (effet de serre, trou dans la couche d'ozone, gaspillage de ressources non renouvelables et d'énergies fossiles, étalement urbain, multiplication des déchets industriels, smog, fontes des glaces, agonie des récifs de corail, augmentation du niveau des mers...) sont des problèmes actuels et deviendront les très dangereuses nuisances de demain. « La pollution respecte le principe de base de l'emprunt qui est de payer plus tard ce que nous ne voulons pas payer maintenant [5]. » Et plus tard, cela veut dire plus cher. Payer ou réduire le déficit budgétaire et monétaire maintenant ne résoudra pas la crise « éconologique » ou « écolonomique ». Si l'on continue à se fier aux indicateurs de l'économie néolibérale actuelle qui oublient complètement les problèmes écologiques, nous risquons une crise beaucoup plus qu'économique. L'analyse du taux de croissance ne calculant pas les érosions, les gaspillages, les conséquences à long terme de la pollution, le tarissement de ressources, démontre bien la myopie des décideurs d'aujourd'hui qui ne cherchent qu'à garantir au

5. *Ibid.*, p. 342.

mieux un bonheur présent et égoïste: «On est tous ego», affirme la propagande publicitaire. On n'a jamais si clairement dit la vérité. Tous égaux devant le futur? Non!

Le devoir de responsabilité

Pour la première fois dans l'histoire de l'humanité, les êtres humains ont en main des moyens technologiques immenses qui leur donnent ce que Descartes, il y a trois siècles et demi, avait souhaité pour l'homme de raison: «la maîtrise et la possession de la nature». Mais réduire la nature à un stock d'objets pour combler les besoins de l'homme et accorder à l'économie la primauté sur toute autre considération humaine constitue un risque d'exploitation et de consommation parasitaire jusqu'à épuisement total. On semble oublier que la nature peut se passer de l'homme, mais non l'inverse; on semble oublier qu'il faut accepter la réalité de notre totale immanence à la nature. Sans la nature, il n'y a pas d'humanité. Cet oubli est symptomatique de l'orgueil et de l'imprévoyance humaine. On peut penser avec Hans Jonas que «La promesse de la technique moderne s'est inversée en menace. La soumission de la nature en vue du bonheur des hommes a entraîné, par la démesure de son succès, le plus grand défi pour l'être humain que son savoir-faire ait jamais provoqué[6].» Il faut donc, et c'est une obligation de plus en plus criante, prendre tous les moyens et viser des objectifs précis (comme le proposaient les sommets de Rio de Janeiro, de Kyoto et de Johannesburg) pour protéger dès aujourd'hui l'environnement et le préserver pour les générations futures: persévérance dans l'être *ou* suicide. Devoir moral et politique: nous n'avons pas le droit de prendre le moindre «risque total», le risque susceptible d'hypothéquer la possibilité même de l'existence humaine; nous devons avoir le souci des générations futures. Cette prudence doit devenir la vertu principale de nos décideurs et, finalement, puisque nous vivons en démocratie, celle de tout

6. H. Jonas, *Le principe responsabilité*, Paris, Cerf, 1990, p. 205.

citoyen. Une sage prévoyance ou précaution s'impose désormais plutôt que la course effrénée à la production, à la consommation et à la croissance des profits. Sinon, c'est notre futur qui en souffrira, c'est-à-dire nos enfants. « Que *leur* arrivera-t-il si *nous*, nous ne nous occupons *pas* d'eux ? Plus la réponse est obscure, plus la responsabilité se dessine clairement[7]. » C'est à nous maintenant de décider pour demain. Ne pas avoir d'autres valeurs ou désirs que sa propre conservation, ici et maintenant, c'est faire preuve d'une grave irresponsabilité qui ressemble fort à une faute non seulement de stratégie économique mais de simple morale.

Avant Descartes, qui décréta que l'homme grâce à sa raison pouvait devenir maître et possesseur de la nature, Francis Bacon voyait dans le développement de la science un moyen pour perfectionner l'ordre éthique et politique par l'allégement de la condition humaine, tout en nous exhortant à la charité pratique. Les philosophes des Lumières, au dix-huitième siècle, « reprirent cette injonction sous une forme plus intense encore : nous devons travailler à améliorer la condition humaine, à augmenter le bien-être de l'homme. *Nous devons faire en sorte qu'en quittant le monde nous le laissions dans un meilleur état que celui dans lequel nous l'avons trouvé*[8]. » Cela fut conçu et écrit il y a plus de deux siècles. Et pourtant, aujourd'hui, après l'échec des conférences sur les changements climatiques et le désengagement des États-Unis à l'égard de toute responsabilité écologique, les bonnes nouvelles sur le front de l'environnement sont rares. Les écosystèmes se meurent dans l'indifférence générale.

Au pays de la simulation, le menteur est franc

« Après moi, le déluge ! » résume, hélas, très bien l'attitude d'esprit de nos décideurs politiques et économiques totalement soumis

7. *Ibid.*, p. 301.

8. C. Taylor, *Les sources du moi*, Montréal, Boréal, 1998, p.120. C'est moi qui souligne.

aux lois du capital et de sa croissance. Pendant qu'une poignée de centaines de milliardaires trament en catimini leurs commandements (la manipulation, c'est le pouvoir du secret) et dictent leurs lois protectrices... de leurs possessions et de leurs désirs, pendant que les plus riches de la terre élaborent leur bonheur immédiat sur l'exploitation de la faiblesse, la peur et l'ignorance de milliards de pauvres crédules, c'est l'humanité entière qui souffre d'une telle arrogance et d'un tel parasitisme.

Les profiteurs du présent et les prédateurs du futur sont au pouvoir. Attention, vous, les jeunes qui les écoutez! Attention quand ils (déguisés en «on») vous demandent de vous investir dans votre futur, car il y aurait fort à parier qu'ils vous le demandent, non pas pour votre bonheur à venir, mais pour que vous deveniez les supports, les ressources humaines et les garants par votre travail de leur présent en or. Liberté 55, ce n'est pas la vôtre, mais celle des compagnies d'assurances qui misent sur votre futur pour enrichir le présent de leurs actionnaires. Attention à la propagande publicitaire qui a appris à si bien simuler le vraisemblable et qui vous demande de vous recycler en jeune loup ou en Tarzan pour que la loi de la jungle vous apparaisse naturelle et normale. Attention à la propagande idéologique des médias et des institutions qui fait de chacun de nous des concurrents insensibles condamnés à l'urgence, qui transforme la bonté et la compassion en vertus d'imbéciles, qui érige le narcissisme en système économique, qui vous recommande de prendre le plus court chemin entre la connaissance et le fric, qui commande aux jeunes de participer à la jeunesse perpétuelle du capital pour que notre planète devienne un pays d'instants et de trimestres, macrocosme d'un futur sans avenir.

SUGGESTIONS DE LECTURE

Luc Ferry, *Le nouvel ordre écologique*, Paris, Grasset, 1992. Un examen critique des idéologies écologiques fin de siècle où s'affrontent thèses politiques et philosophiques.

Luc Gagnon, *Échec des écologistes*, Montréal, Méridien, 1993. Un bilan rigoureux de l'écologisme et une présentation des enjeux internationaux actuels. Que de questions pour notre futur !

Hans Jonas, *Le principe responsabilité*, Paris, Cerf, 1990. Un livre important en philosophie contemporaine, une référence majeure des courants écologistes et une inspiration pour une action éthique actuelle.

Jean Ziegler, *Les nouveaux maîtres du monde*, Paris, Fayard, 2002. Un livre qui dénonce les injustices, les souffrances humaines et leurs causes : la cupidité, le pouvoir de l'argent et les grands prédateurs.

http://www.amisdelaterre.org/ecotoile/ Véritable «pages jaunes» de recherche sur tout ce qui se rapporte à la santé de la terre et à toutes pratiques et réflexions qui y sont associées.

CHAPITRE 4
En mon âme et conscience

Je suis composé d'un corps et d'une âme. Je me donne corps et âme. Ai-je un corps ou suis-je un corps? Le moi est-il autre chose que le je dans l'expression « je me connais ». La tradition dualiste (âme et corps) est-elle remise en cause? L'homme est peut-être un oignon qui se prend pour une grosse prune.

« En mon âme et conscience » est la formule traditionnelle du serment des témoins en justice pour bien marquer que c'est le plus profond d'eux-mêmes qui s'engage. L'être humain serait-il composé de natures distinctes dont l'une serait plus profonde, donc plus humaine que les autres ? « Se donner corps et âme » serait-ce plus ou moins que de s'engager en son « âme et conscience » ? Qu'est-ce qui a le plus de valeur ou d'être ? Le corps, l'âme ou les deux ? Vieilles questions : qu'est-ce que l'homme ? Qui suis-je ?

La subjectivité et son mystère

Frères humains, l'«inexplicabilité» de notre identité ou de notre essence ne nous confère-t-elle pas le statut de sujet mystérieux, énigmatique, sacré, presque divin ? Ne sommes-nous pas des dieux à cause de cette ignorance sur nous-mêmes ?

L'individu humain est une subjectivité. C'est-à-dire qu'il y a quelque chose en lui qui ne peut être simple objet de connaissance. Il possède une intériorité inobjectivable, profonde que certains appellent «âme» ou «liberté» ou «esprit» ou «pour-soi» ou «conscience» ou «moi» ou «je» ou «soi» ou «personne». Cette liste est incomplète tant il y a, en philosophie, de mots pour désigner ce quelque chose chez l'homme qui est inexplicable, mais qui est d'une énorme importance ; quelque chose de très complexe et d'obscur, mais qui nous distingue de tout ce qui est naturel. L'homme ne peut être expliqué scientifiquement. Ni même clairement. Son corps, oui ; mais son «intérieur» ? Sa conscience ? Son «esprit» est irréductible à toute objectivation. Le je humain ne peut devenir objet de science puisqu'il est le sujet qui connaît. La psychanalyse a déjà prétendu à une connaissance méthodique du sujet, mais ses résultats sont si dérisoires et surtout si confus qu'ils déclenchent une panoplie d'interrogations et, en même temps, une foule de réponses ou de solutions de rechange pseudo scientifiques supposément réconfortantes.

Connaître, c'est une relation sujet-objet : je (sujet) connais le réel (objet). Et quand il m'arrive de me connaître moi-même comme sujet, (le je qui connaît le je), il se crée obligatoirement une scission : je (sujet) et je (objet), qu'on appelle souvent *moi* pour le distinguer du *je* sujet. William James dit ceci : «En même temps que je pense, j'ai plus ou moins conscience de moi, de mon existence personnelle. Et c'est le je qui a conscience de moi, si bien que ma personnalité totale est alors comme double, étant à la fois le sujet connaisseur et l'objet connu [1]. » Les philosophes ont

1. W. James, *Précis de psychologie*, Paris, Marcel Rivière, 1984, p. 227.

donc raison de dire que le sujet possède quelque chose d'irréductible, car il faut toujours qu'il y ait un sujet (non réductible en objet) pour qu'il y ait connaissance. Même quand je prends conscience que je connais, le je qui prend conscience reste sujet qui s'objective, mais jamais en totalité puisque l'objectivation exige qu'un sujet (un je) la fasse. L'expérience de me saisir en totalité avec le réel ou de saisir la totalité du réel en m'incluant, est une expérience qui semble, à première vue, impossible. Impossible? Serait-ce une expérience mystique, une conscience du Tout, de la Transcendance ou de Dieu? Une expérience de la perception qui exclurait la pensée? Ou la conscience? Une expérience de l'Unité, comme disent les hindouistes? Est-ce possible cet Éveil dont parlent les bouddhistes et qui consiste en une sorte d'intuition de vacuité ou de vide en même temps que de tout ou de totalité, de «ciel infini et inaltérable»? Encore là, si je suis conscient de mon expérience mystique, il manque quelque chose à la totalité: le *sujet conscient* qui ne fait pas partie de la totalité dont il est conscient. Un je en retrait? Petite bulle vide, petit intérieur irréductible au tout. À moins que, dans cette expérience de la totalité, je me perde, que je me fonde dans le Tout universel, que je me néantise ou que le je s'anéantisse. Tant que le je est conscient, ne se distingue-t-il pas du Tout? Est-ce cela la subjectivité? Kant dit: «Posséder le je dans sa représentation est un pouvoir qui élève l'homme infiniment au-dessus de tous les autres vivants sur la terre. Par là, il est une personne[2].»

La logique duelle (sujet-objet) de la connaissance nous oblige donc à poser l'homme connaissant comme sujet irréductible à la connaissance. Bizarre quand on y pense! Et, en même temps, cette logique de la connaissance nous oblige, aussi, à faire de ce sujet un être énigmatique. Inobjectivable. L'homme est un inconnu et les êtres humains adorent se faire expliquer qu'ils sont inexplicables.

---

2. E. Kant, *Anthropologie du point de vue pragmatique*, Paris, Vrin, 1972, p. 17.

Le dualisme : l'homme-prune

Il n'y a pas que les théories philosophiques de la connaissance qui nous contraignent à voir en l'homme un noyau irréductible à la conscience, un dur pépin qui enferme le je dans sa solitude obligatoire de sujet connaissant ; il y a aussi les théories philosophiques de l'homme parmi lesquelles il y en a une, classique, qui dit ceci : l'homme est composé d'un corps matériel, changeant, corruptible, mortel et d'une âme spirituelle, persistante, immortelle. Cette âme est le « moi profond » de l'être humain, transcendant, inconnaissable, divin. Cette âme est si secrète et si riche de possibilités (connaissance, créativité, liberté) qu'elle fait de l'homme un être qui est une fin en soi, une valeur en soi. Une valeur absolue. Une réalité qui n'a pas de prix.

Cette idée de Kant, qui octroie à l'homme le statut philosophique de *sujet de droit*, a son histoire. Rappelons-la sommairement.

Socrate que l'on connaît à travers son disciple bien-aimé, Platon, est venu entrouvrir une porte en proclamant qu'il était plus urgent de « se connaître soi-même » que de connaître l'être. Que la connaissance de soi pouvait être la matrice de la connaissance en général. Que la connaissance du dedans pouvait fonder celle du dehors. Le *sujet* prit place, timidement mais sûrement dans l'histoire de la pensée occidentale. C'est Platon qui a ouvert toute grande la porte à une tradition humaniste. Il présenta l'image d'un homme qui a tout du divin en lui, puisqu'il n'a qu'à se libérer de son corps (le corps étant la prison de l'âme) pour réaliser, par une sorte de réminiscence d'un monde parfait, l'émergence de cette substance immatérielle et immortelle qui, en philosophie, fera fureur pendant vingt-cinq siècles : l'âme immortelle. Or, qu'est-ce que l'âme sinon cette irréductibilité dont on ne peut rien dire, mais qui nous place sur le piédestal de la transcendance ou du suprasensible ? Grâce à cette âme, la mort devient un « beau risque », sinon un simple passage à une autre vie.

Aristote, moins poète, plus logique et systématique, fait de l'homme le seul être à posséder, en plus d'une matière première corporelle, une forme substantielle indissociablement unie au corps, mais vouée à la vie contemplative, vie divine par excellence : l'âme. Lui aussi conçoit l'homme doté d'un principe (concevable abstraitement, mais inimaginable sensiblement) capable de pensée, donc de vie intellectuelle, aussi près de Dieu que la nature puisse le permettre. Cette idée d'âme conçue à l'image du divin n'est pas que religieuse, elle a, effectivement, fait sa marque dans les philosophies païennes de l'Antiquité.

Ces grands philosophes de l'Antiquité grecque furent « christianisés » au Moyen Âge par des théologiens philosophes, Pères de l'Église. Je vous en présente deux.

Saint Augustin, croyant à l'existence de l'Esprit d'un Dieu révélé, fait de l'âme humaine un intérieur illuminé de l'esprit divin, sorte de mémoire qui se souvient de Dieu et qui s'élève vers le haut, au-delà du sensible, vers le supérieur, vers la sanctification ou la perfection d'où elle émane comme créature de Dieu. Cette âme, sujet d'une volonté capable de liberté, peut choisir entre le bien et le mal. Ce qui fera déjà de l'homme un sujet non seulement de connaissance, mais de liberté. Nous y reviendrons quand nous aborderons l'expression « qui veut peut ».

Un autre saint philosophe s'impose : Thomas d'Aquin dont la pensée est devenue la philosophie officielle de l'Église catholique romaine. Pour lui, l'âme humaine est à l'image même de Dieu : elle est principe spirituel, esprit ou intellect capable d'une activité propre qui ne dépend pas entièrement du corps. L'âme est, dans l'ordre de l'être, supérieure au corps et indépendante de lui (quoique intimement unie à lui), donc, divine et immortelle et, de ce fait, inobjectivable. La dignité de la subjectivité humaine prend sa source dans cette tradition imprégnée de cette conviction théologico-philosophique.

La Renaissance, véritable tournant de notre histoire occidentale connaîtra de grands bouleversements économiques et idéologiques : la naissance du capitalisme et l'émergence d'un humanisme laïque accompagnent les grandes réformes religieuses et le divorce entre la raison et la foi. Pendant un siècle et demi, on assiste en Europe à des sursauts historiques qui auront des impacts importants autant en économie qu'en politique, autant en art qu'en science ou en philosophie.

Descartes est emblématique de ces temps nouveaux et d'une sécularisation de la philosophie de l'homme : le cogito (« Je pense, donc je suis ») crée une frontière entre l'homme et Dieu. L'homme est grand en lui-même, par lui-même car, étant substance pensante, il est le premier principe de la connaissance. Le sujet humain est affranchi du sacré, mais aussi du corps matériel, pure machine objectivable. L'homme est, plus que jamais, composé de deux parties, de par leur nature, distinctes : un esprit immatériel irréductible aux caractéristiques objectivables du corps matériel. Le sujet conquiert sa pleine dignité de réalité autonome, libre et transcendante. Le dualisme* s'impose presque absolument : un moi-sujet substantiel pensant, insaisissable autrement que par l'intuition réflexive, et un corps-machine-étendue, objet explicable. Un *noyau* dur, permanent, stable et immuable, fondement de la volonté libre et de la connaissance rigoureuse, dissimulé sous les passions changeantes et mobiles de la *chair* trompeuse et mortelle.

C'est chez Kant que le noyau-sujet humain prend toute sa force et sa grandeur par son statut de « noumène » inexplicable par opposition aux « phénomènes », objets de connaissance scientifique. L'esprit (le sujet), à travers les catégories de l'entendement et de la sensibilité, construit le monde de la connaissance : il ne peut pas saisir les réalités « en soi » (noumènes), mais seulement leurs « apparences » (phénomènes). Ce que l'homme connaît, ce n'est pas la réalité telle qu'elle est, mais telle qu'elle apparaît, telle qu'élaborée par le sujet, réfractée par les « filtres » de l'entendement et de la sensibilité. Chez Kant, le sujet humain est actif, constructeur, transcendantal : la connaissance du monde ne dépend plus que de la nature ou des essences ou de l'organisation du monde-objet, mais des capacités et des dispositions de l'homme-sujet. Et de ses limites : puisqu'il existe des réalités inconnaissables (noumènes) quoique concevables : Dieu, la liberté du sujet humain et l'immortalité de son âme. Grâce à cette philosophie, l'*homme-*

sujet comme Dieu lui-même accède à l'inaccessible et devient, en tant que *noumène*, objet de foi plus que de savoir. Fin du dix-huitième siècle, l'homme est grand, Dieu s'éloigne, l'humanisme théorique* prend de la force. Se mettra-t-on à croire en l'homme?

Au dix-neuvième siècle, «Dieu est mort» selon l'expression de Nietzsche, mais on dirait que l'homme se le pardonne mal: il a tendance à se déifier. Malgré des tentatives de démystification et de déconstruction du sujet humain par Marx, Nietzsche et Freud (nous y reviendrons), il n'en reste pas moins que l'humanisme théorique tient le coup en philosophie et prend même une place importante au vingtième siècle dans le discours social: on se réfère à la «nature humaine» à propos de tout et de rien.

Je retiens deux philosophes de ce siècle qui ont marqué les esprits de leur humanisme théorique fortement teinté de la notion de subjectivité inobjectivable, Bergson et Sartre. Si l'on examine très sommairement la philosophie du premier, on constate qu'il renforce encore le *noyau dur* de «l'âme et conscience». Très au fait, dès le début du vingtième, des récentes découvertes des fonctions importantes du cerveau dans la perception cognitive, Bergson a défendu avec vigueur l'indépendance (malgré la solidarité) de l'esprit ou la conscience par rapport au cerveau: «Ainsi, la conscience est incontestablement accrochée à un cerveau, mais il ne résulte nullement de là que le cerveau dessine tout le détail de la conscience, ni que la conscience soit une fonction du cerveau[3]», écrit-il. On le voit bien, Bergson reste fidèle à la tradition dualiste: la pensée ou l'esprit, même uni au corps, est irrémédiablement et substantiellement différent et distinct de lui. Ce «moi profond» est si intérieur qu'il ne peut être étudié ni expliqué par la science; et c'est d'ailleurs à cette condition qu'il est liberté. Il y aurait beaucoup à dire là-dessus, mais retenons que le bergsonisme est une réactualisation du dualisme traditionnel: d'une part, l'âme, noyau dur immortel et, d'autre part, le corps, pulpe putrescible et biodégradable.

3. H. Bergson, *L'énergie spirituelle*, Paris, PUF, 1967, p. 59.

Chez Jean-Paul Sartre, il n'existe pas d'âme humaine inexplicable, mais il y a une liberté si absolue qu'elle rend l'homme (tout entier dans son existence) non définissable. Le mystère humain, chez le philosophe existentialiste, ne vient pas d'une substance ou d'une essence immatérielle, mais d'un refus d'être objet définissable ou d'un échappement permanent à soi-même. L'être humain n'est jamais tout à fait lui-même ; il est projet, dépassement, insaisissabilité. C'est cette caractéristique qui fait de l'homme un être transcendant presque divin par sa liberté absolue... Le *noyau dur* mystérieux de l'homme est, chez Sartre, un rapport à soi, une distance, un projet, un «pour soi», un néant, alors que son aspect objectivable est son opacité, sa matérialité, son «en-soi». L'homme ne doit pas céder à la tentation de n'être qu'un en-soi, car il abdiquerait ce qui fait toute sa grandeur, sa subjectivité, c'est-à-dire la liberté de se choisir lui-même.

Pour serré que soit ce résumé, il fait tout de même apparaître les constantes de l'histoire des idées qui sont sous-entendues mais présentes dans l'élaboration des lieux communs et des images persistantes que l'homme se fait de lui-même. Ce n'est pas d'hier qu'il s'imagine composé de deux principes distincts et que, en même temps, il ait cette fâcheuse tendance à séparer le monde en pôles absolus : esprit-matière, bien-mal, conscient-inconscient, transcendance-immanence, intérieur-extérieur, vérité-apparence, les bons et les méchants...

Nous avons l'habitude, nous du monde occidental, de définir l'homme comme étant composé de deux principes, ou deux causes, ou deux réalités ou substances : le corps et l'âme. Cela fait partie de notre tradition. Si ce n'est pas toujours en termes de corps matériel et d'âme spirituelle, il est presque naturel de désigner cette dualité comme «quelque chose» d'extérieur et de plus apparent par opposition à «quelque chose» d'intérieur et de moins apparent, de moins explicable. Un extérieur qui saute aux yeux mais dont il faut se méfier, car il n'est qu'apparence superficielle et cache un intérieur plus intime, plus vrai, plus complexe, plus mystérieux. Un dehors charnel qui s'habille, qui plaît ou déplaît et qui vieillit ; un dedans immatériel, voilé, mais essentiel qui défie les changements et les affres du temps. Une carcasse externe fragile et éphémère qu'on va enterrer ou incinérer un jour et qui libérera l'esprit qu'on souhaite immortel, solide et permanent. Comme si l'essentiel était invisible pour les yeux et dissimulé derrière une épaisse couche de chair qui se dissout.

Le monisme : l'homme-oignon

Le dualisme (contrairement au monisme*) est devenu une conception de l'homme si naturelle dans nos manières de penser qu'il est presque incongru de se concevoir en termes différents, c'est-à-dire comme un corps. Un corps, point. Corps complexe, soit, mais corps matériel uniquement. Les philosophies monistes (la plupart du temps matérialistes) conçoivent l'être humain comme étant constitué d'un seul principe, à savoir la matière, mais sans nier à cette matière la capacité d'évoluer, de se complexifier et même d'élaborer de l'immatérialité ou de produire de l'esprit. C'est pourquoi plusieurs philosophes matérialistes et monistes continuent de parler d'esprit et d'âme comme des forces corporelles. Plusieurs ont, en effet, parlé du corps comme source de sagesse, de ce corps méconnu ou mal connu puisque réduit, par la tradition dualiste, à une matérialité quantitative déterminée par des lois mécaniques. Le corps de l'homme n'est pas qu'une machine comme les dualistes classiques l'ont souvent décrit : une sorte de mécanisme animé par l'âme spirituelle à laquelle il est uni. Non. Le corps de l'homme produit de l'esprit. Le corps de l'homme pense. Le corps de l'homme s'angoisse, s'émeut, médite, intuitionne, prend conscience. Je suis mon corps, je suis ce corps que j'ai. Je marche, je mange, je désire. Je pense, donc je suis un corps.

Sans refaire toute l'histoire des conceptions du corps de l'homme ou de l'homme lui-même, je me dois, ici encore, de revenir à l'Antiquité avec Démocrite et Épicure qui ont conçu l'Être comme constitué d'un seul principe : la matière. Cette matière est composée de si infimes corpuscules qu'ils sont insécables : les atomes. Or, le corps de l'homme, comme tout corps qui existe, est composé d'une infinité d'atomes dont le jeu et les combinaisons sont variés, en mouvements et en liaisons. Pour ces philosophes, connaître le réel par ses constituants physiques procure sécurité et paix. C'est le mystère de l'inconnu, du divin et des mythes qui fait naître la crainte et les malheurs. C'est par le savoir, la raison et la tempérance que l'on obtient la sérénité. Ainsi, les agrégats d'atomes peuvent expliquer le phénomène humain et ses multiples aspects. Par exemple, la mort : elle n'est que la dissolution des organisations atomiques dont le corps (et l'âme et les pieds et les oreilles) est constitué ; elle n'est pas à craindre puisque « quand elle advient, nous ne sommes plus là » (Épicure).

Plus près de nous, Montaigne écrit : « La condition humaine est merveilleusement corporelle. » Pour ce philosophe particulier du seizième siècle, il s'agit de percer les écrans d'illusions que la passion ou l'orgueil spirituel ont érigés. Et qu'est-ce qu'on découvre : la singularité de l'homme ; singularité inimitable parce que chaque expérience, chaque moment de sensation et d'émotion personnelles sont comme des couches ou des pelures d'un oignon, des parties superposées de l'histoire de chaque individu. C'est ce qu'on appelle l'immanence* : tout ce qui explique les êtres et les hommes est intérieur à la nature dont font partie les êtres et les hommes. Il n'y a pas de transcendance*.

Pour Spinoza, philosophe du Grand Siècle de Descartes et de Louis XIV, mais d'une étonnante modernité, tout est immanent à la nature ; même Dieu est Nature. Comme tout est nature ou modes de la nature, l'homme est nature et son désir est l'affirmation dynamique de son être naturel. Mais les désirs humains peuvent être modifiés par l'intervention de causes extérieures. L'être humain subit l'action des forces auxquelles il est nécessairement lié puisqu'il est une partie de la nature. Ainsi naissent les passions, lesquelles sont des modifications de la puissance d'agir du corps. Or, être vertueux, pour Spinoza, c'est acquérir une vraie connaissance de ses passions, c'est-à-dire acquérir une idée adéquate, claire et distincte de ce qui se passe en soi et saisir le dynamisme de la vie, de sa vie, de son désir et de son corps à partir de ses propres expériences comprises adéquatement par la raison.

Encore ici, il n'y a pas de zones cachées ou de noyau inexplicable chez l'homme. «L'âme est l'idée du corps» affirme Spinoza. Le sage est celui qui accède à la connaissance vraie de sa complexion corporelle en relation avec la plénitude de la nature. Donc, le sage est un savant amoureux de la vie qui ne se soumet à aucune transcendance ni à aucun mystère, car il cherche à se connaître à travers ses liens avec la nature. «On ne sait pas tout ce que peut le corps», répète-t-il.

Le dix-huitième siècle a connu de nombreux philosophes monistes : La Mettrie, par exemple, qui fut banni non seulement de la France pour ses opinions mais même de la Hollande, pays beaucoup plus tolérant à l'époque. Cela en dit long sur ses positions philosophiques révolutionnaires, particulièrement dans une publication — *L'Homme-machine* — où il fait preuve d'un avant-gardisme étonnant. Diderot, encore, pour qui l'homme n'est qu'un maillon du Tout en flux perpétuel, insiste sur les déterminismes des lois physiques de l'Univers qui jouent dans tous les recoins du corps humain et ce jusque dans la pensée et la volonté. Et plusieurs autres philosophes ont hanté le siècle des Lumières avec leurs théories matérialistes à chaque fois réprimées par l'autorité intellectuelle officielle. Il n'était pas facile de penser non conformément à un idéalisme et à un dualisme établis. Mais je me dois, ici, d'être succinct.

C'est au dix-neuvième siècle que la philosophie s'affranchit vraiment de la tradition idéaliste et dualiste surtout grâce à trois philosophes qui auront une influence considérable. Marx affirme que l'homme est un animal producteur plongé dans une société qui l'aliène et qui fait de lui un être étranger à lui-même. Le moi ou l'homme-sujet est une construction idéologique, c'est-à-dire une structuration complexe où s'articulent divers rapports sociaux, de sorte que la conscience n'est plus une entité qui influe ou agit sur l'environnement, mais plutôt le résultat d'influences de l'environnement social. L'individu se croit «lui-même», identité solide et libre dans ses choix et ses comportements, mais, en fait, il est façonné par l'idéologie. Or, l'idéologie est un ensemble d'idées, de croyances, de préjugés et de mythes qui se présentent comme des vérités universelles, mais qui ne sont que des expressions propres à une classe dominante ou à une société donnée. Les individus sont humains non pas grâce à une essence universelle, mais à cause d'un conditionnement socio-économico-culturel qui les rend humains parce que socialement fonctionnels. Toute théorie philosophique est alibi. L'homme est ce qu'il vaut, et la référence de cette valeur est économique : c'est le marché. D'où, chez Marx, la nécessité de libérer l'homme des lois du marché et du capital. Mais qu'est-ce que l'homme ? L'homme n'est pas une marchandise. L'homme n'est pas ce qu'on pense qu'il est.

Dans un tout autre registre, Nietzsche, provocateur, sème la controverse et remet complètement la métaphysique* dualiste de l'homme en question. L'âme immortelle ? une invention, un vide, un rien : «nihil». C'est le nihilisme, règne du rien où tout ce qui est vu comme du solide, de la permanence et de la stabilité n'est qu'absence de sens ou fiction : Dieu, immortalité, liberté, vérité universelle sont des illusions d'*arrière-mondes* inventées par des trouillards qui n'osent regarder la tragédie et la beauté du réel changeant. Dans ces conditions, ce qui compte, pour le philosophe, c'est la chair, le corps, le monde terrestre comme plénitude vitale. Le corps est sagesse et raison, dynamisme dépassant la conscience, force créatrice en perpétuel croissance. «Le corps humain est un système beaucoup plus parfait que n'importe quel système de pensée ou de sentiments, et même très supérieur à toute œuvre d'art» (Nietzsche).

S'il y a un sujet humain, ou un moi ou un je instable, flou et changeant, c'est bien chez Freud qui ne voit en l'homme qu'un lieu de conflits s'accumulant et se stratifiant dans l'inconscient jusqu'à constituer une gangue difficile à percer et à comprendre. Il n'y a pas de faits psychiques cernables comme des objets, mais que des symptômes interprétables. Ce moi est symptomatique des complexes confrontations entre les pulsions de plaisir du ça inné et des contrôles du surmoi acquis par l'apprentissage des automatismes sociaux. De sorte que l'homme n'est pas maître de son propre monde intérieur tant les expériences et les stratifications inconscientes le déterminent. Les neurosciences modernes confirment les conceptions monistes de l'homme ; ou plutôt n'ont d'autres voies que celle du monisme pour comprendre l'homme, car c'est son corps qui est observable même dans ses parties les plus complexes et les plus raffinées, par exemple, le cerveau.

L'homme est un oignon qui se prend pour une prune

Comment la philosophie éclairée par la science actuelle peut-elle interpréter la conscience, cette âme dite spirituelle, sorte d'« intériorité inobjectivable » ? Est-ce vraiment inconnaissable ? L'est-ce à cause de sa nature propre ou de la raison humaine ou simplement de l'ignorance ?

La phénoménologie* enseigne que la conscience est toujours conscience de quelque chose : un rapport au monde, dynamique… Un peu comme l'œil, qui fonctionne dans la lumière, la conscience fonctionne à la condition qu'il y ait autre chose qu'elle-même, du réel objectivable, connaissable.

En astronomie, on appelle « horizon cosmologique » la limite physique au-delà de laquelle l'investigation scientifique ne peut rien car le rayonnement des corps célestes, fuyant eux-mêmes à une vitesse proche de celle de la lumière, ne peut nous parvenir ; et ainsi, cette réalité lointaine reste à jamais inconnaissable. On aura beau perfectionner nos techniques, jamais on ne parviendra à savoir exactement ce qu'il y a derrière cet horizon : cela n'est pas dû à nos faiblesses technologiques, c'est une question de nature des choses, de lois, de limites physiques.

Il en est ainsi du cerveau humain. Celui-ci saisit la réalité, l'enregistre, l'analyse et la traite à une telle vitesse et avec tant de minutie et de complexité que jamais notre langage ou nos concepts n'arriveront à en saisir le tout ; on aurait beau concevoir, réfléchir et s'exprimer à l'autre et à soi sans arrêt, il restera toujours une réalité complexe saisie par l'appareil cérébral et tout l'organisme qu'on ne parviendra jamais à décoder parfaitement par concept, intuition ou sensation. Ces aperceptions restant cachées à notre conscience et s'accumulant sans cesse au-delà de nos capacités d'introspection, de conception et d'expression, constituent donc une somme de secrets intériorisés pour toujours. Certains philosophes appellent cela le moi profond, la subjectivité, l'intériorité humaine... L'âme, l'esprit.

Et ils en font le siège de la liberté, c'est-à-dire, un lieu inconnaissable souvent transcendant d'où origine la volonté ou désir de l'âme qui «choisit» comme une force spontanée et gratuite (si l'on n'en connaît pas les motifs) ou comme une force raisonnable (si l'on en connaît les raisons qui émergent de la conscience et sont clarifiées par la logique). Mais ce n'est là qu'illusion du fait de notre ignorance de ce que tout notre cerveau a réussi, réussit et réussira à traiter à notre insu. «La liberté ne se conçoit que par l'ignorance de ce qui nous fait agir» (Laborit). Ainsi, l'âme ne se conçoit que par l'ignorance de ce qui nous fait penser. Comme Dieu qui ne se conçoit que par l'ignorance de ce qui nous fait être. L'ignorance ou l'impossibilité de connaître. La liberté, l'âme, Dieu. Illusions de l'ignorance ou réalités inconnaissables.

Le secret intérieur que chacun porte en soi n'est qu'un agrégat de perceptions accumulées selon une complexité «architexturale» et à une vitesse qui dépasse nos capacités de saisie consciente par concepts : cela constitue une sorte d'«horizon neurologique» au-delà duquel la réalité enregistrée restera à jamais enfouie. C'est physique. C'est une limite à la connaissance de soi. C'est ce qu'on appelle la subjectivité. Ou, en neurosciences, la «boîte noire».

Je me demande : « Qui suis-je ? » Et je ne peux que répondre : « Je ne sais pas exactement qui je suis, à cause du mystère en moi. » Ce mystère, ce « sentiment même de soi », nous donne l'impression, si vous permettez une image, d'une aura émanant d'un « noyau durci » par l'entassement, l'emmagasinage de tout ce que mon cerveau et mon organisme captent à chaque millième ou millionième de seconde depuis le début de mon histoire et que je ne connaîtrai jamais à cause du décalage entre la vitesse de la captation cérébrale et celle de mes moyens de saisie par les concepts du langage. Ce « noyau », c'est moi. C'est mon inconscient et ma conscience qui n'en est qu'une surface, qu'une pointe. En fait, si l'on réfléchit bien, ce « noyau », ce « centre solide » mais mystérieux n'est qu'une impression illusoire. Il n'existe pas ce « noyau dur », permanent ou éternel : au contraire, c'est un lieu vide, une vacuité ou un « centre de nulle part » changeant autour duquel s'est constituée une infinité de petites pelures acquises au cours de ma vie, de mon histoire, de mon éducation ; une multitude de foisonnements de circuits neurosynaptiques, de rhizomes neuronaux, tatouages ou empreintes cérébrales qui se sédimentent et qui constituent les bases de la personnalité. Ce *moi* est une sorte d'oignon qu'on n'arrivera jamais à peler complètement et dont on ne connaîtra jamais le centre vide. Cette multitude de strates accumulées me déterminent dans l'action et dans la pensée actuelles sans que je sache ni comment ni pourquoi ; cette ignorance me donne la fallacieuse sensation d'un infini intérieur, sorte d'entité immatérielle, d'esprit libre. C'est à partir de cette ignorance concernant l'au-delà de la limite cérébrale consciente qu'ont cogité nombre de philosophes en mal d'expliquer la subjectivité humaine, cette intériorité inobjectivable, cette « boîte noire », cette « âme et conscience ».

Le moi conscient est devant lui-même comme l'antique observateur des étoiles : il pense que le réel se réduit à ce qu'il saisit et que « ce qu'il ne connaît pas » n'existe pas ou le dépasse et le transcende par son inexplicabilité. Or, aujourd'hui, les observateurs astrophysiciens (comme les neurophysiologistes) savent que toute une partie de la réalité leur échappe et leur échappera toujours à cause des limites physiques et des lois de la nature. Au-delà de l'horizon cosmologique, il n'y a que de la réalité toute naturelle, matérielle ; il n'y a rien de transcendant. Ce n'est pas parce que l'on ne peut pas connaître une chose qu'elle nous transcende comme de l'inexplicable en soi, mais simplement, c'est qu'elle nous est cachée, donc inexpliquée. À cause de l'horizon cosmologique, un observateur situé aux confins de l'univers ne saura jamais que nous existons en chair et en os et que nous subissons les mêmes lois de la nature que lui. Ainsi, le centre de nos computations cérébrales fonctionne selon les mêmes lois que ses périphéries dont nous pouvons peut-être saisir la réalité, sauf qu'il nous est caché à cause de l'horizon neurologique. Ce qu'on appelle l'âme spirituelle n'est, en fait, que la face cachée de notre oignon, ou, mieux, une vacuité profonde, soit, mais infranchissable à cause de l'épaisseur concentrique de notre masse psychique ou du foisonnement hyper complexe de nos circuits neurosynaptiques.

« En mon âme et conscience », je constate que je ne suis qu'un corps. Je suis ce corps qui pense qu'il est corps et conscience. L'homme est un oignon, mais il se prend pour une grosse prune. Il est, en effet, plus glorieux de se concevoir comme une chair avec un centre solide, éternel, quoique mystérieux, qu'on appelle une âme, plutôt que de se voir constitué d'une multitude de pelures infimes construites au fil des expériences autour d'un vide qu'on n'arrivera jamais à connaître. Bref, un oignon sans âme, mortel et qui fait pleurer.

SUGGESTIONS DE LECTURE

Jean-Pierre Changeux, *L'homme neuronal*, Paris, Fayard, 1983. Un essai incontournable pour qui veut s'initier à la conception scientifique de l'homme. L'auteur semble bien connaître et aimer la philosophie. Un atout.

Antonio R. Damasio, *Le sentiment même de soi*, Paris, Odile Jacob, 1999. Un neurologue qui ose une étude scientifique de la conscience. Un heureux mélange de science, philosophie et poésie qui nous informe sur soi.

Luc Ferry, *L'homme-Dieu ou le Sens de la vie*, Paris, Grasset, 1996. Un philosophe qui s'efforce de trouver, malgré les critiques antihumanistes modernes, un sens à la vie à travers l'humanisme des droits de l'homme.

Henri Laborit, *Éloge de la fuite*, Paris, Robert Laffont, 1976. De tous ses livres, c'est peut-être le plus complet et le plus accessible : la biologie et la neurologie qui se conjuguent à la vie quotidienne et à tous ses problèmes philosophiques.

Charles Taylor, *Les sources du moi*, Montréal, Boréal, 1998. Un travail de recherche quasi complète de l'histoire et de la petite histoire du « cher moi » ou de l'identité moderne de l'homme occidental.

http://www.heraclitea.com/dualisme1.htm Ce site philosophique est un immense dictionnaire illustré où l'on peut consulter les concepts comme les philosophes : dualisme et monisme y sont. Et autres.

CHAPITRE 5
Il faut le voir pour le croire

Une locution impropre, car voir, c'est avoir une preuve sensible qui permet de savoir. Il serait plus juste de dire : « Il faut croire pour le voir. » La foi aveugle est hallucinatoire. Est-il plus facile de croire que de savoir, plus facile de comprendre que d'expliquer, plus facile de trouver un sens que de chercher des preuves ? Et qu'est-ce que le sens ? Dieu ? La foi ? La prière ?

L'apôtre Thomas, le plus philosophe des disciples de Jésus, ne pouvait croire ce qu'on racontait à propos de sa résurrection. Il ne croyait que ce qu'il voyait. «Faut le voir pour le croire» signifie que, si l'on ne tient pour vrai que ce que l'on voit, toute croyance ou toute foi devient objet de doute. Il faut toucher pour le croire ; il faut avoir des preuves pour le croire. Or, si j'ai des preuves ou si j'utilise mes sens pour connaître, je ne *crois* plus, mais je *sais*. Il serait donc plus juste de dire : «Il faut le voir pour le savoir.» Voilà pourquoi la locution «il faut le voir pour le croire» semble, à première vue, incorrecte.

«Croire pour ne pas voir», ou de la superstition

L'expression nous conduit tout droit à la question de la foi. Croire ou savoir. Mais ce n'est pas si simple, car tout n'est pas certain du premier coup d'œil. Vivre, c'est inquiétant ; et pour traverser les épreuves de la vie, on a parfois besoin plus que de la certitude de ses perceptions sensorielles. Sans vouloir jouer sur les mots, plus que de ses sens, on a besoin que la vie ait du sens. La vie a-t-elle un sens ?

«Sens» signifie signification aussi bien que direction. Et il y a une parenté entre ces deux sens du mot «sens», tous les deux sont tendus vers une fin. Le sens de la vie, c'est le but de la vie ; le sens d'un mot, c'est, peut-être aussi, son but : un mot signifie, il «veut dire». Le but et la signification de la vie, le but et la signification d'un mot, c'est leur sens.

Dans la signification, il y a un rapport entre le signifiant (par exemple, un mot ou une image acoustique — table) et le signifié (le concept de la chose — l'idée de table) et le référent (la table réelle) extérieur au langage ou au signe conventionnel ou linguistique. Or, le signifiant en lui-même n'a pas de sens en soi ; il n'en a un que dans un rapport avec le signifié ou le référent qui peut être une réalité concrète ; il est signifiant par convention : un mot, un signe verbal ou écrit, un symbole (par exemple, un drapeau) n'a de sens que conventionnel, que parce qu'il renvoie à autre chose, le réel — le signifié ou, mieux, le référent. La table pourrait bien se dire «batle» qui n'a, pour nous, aucune signification car non conventionnel, mais qui pourrait renvoyer, si telle était la convention, à la table réelle. Mais cette table réelle n'a, elle, *aucun* sens *autre* que lui-même. Le référent ou la chose réelle ou la réalité n'a pas de sens en soi. La signification ou le sens est toujours un *rapport*, c'est-à-dire un renvoi à *autre chose* qu'à lui-même. Mais le réel, lui, n'a pas de sens parce qu'il ne renvoie à *rien d'autre* qu'à lui-même. La vraie table ne signifie rien d'autre que ce qu'elle est. Elle n'est le signe de rien. Dès qu'il y a signification ou sens, il y a un rapport. Pas de rapport, pas de sens.

Ainsi, la réalité n'ayant pas de rapport autre qu'avec elle-même, elle n'a pas de sens. Cela veut dire, aussi, qu'elle n'a pas de but en soi. Pourquoi la terre existe-t-elle ? Dans quel but ? La réponse exigerait une interprétation qui ne reposerait pas sur des faits. La science ne répond qu'à la question «comment» et ne peut se permettre de répondre à aucun «pourquoi». Seule la croyance ou la foi tentent de donner des réponses à la question du «pourquoi». En soi, le réel n'a pas de sens ni de but. Qu'on se le tienne pour dit ! C'est ce que Spinoza, au dix-septième siècle appelait l'illusion du finalisme* fondé sur l'ignorance et la crainte. Le réel, la nature : c'est. C'est tout ! Et si on ne sait pas pourquoi c'est, il ne faut pas supposer une finalité à toute réalité pour se consoler. Mais pourquoi cherche-t-on toujours à donner un sens ou un but ? Pourquoi habiller le réel de sens ? Pourquoi voir les choses comme des signes ou des indices d'autre chose ?

Donner du sens à ce qui n'en a pas, voir des signes là où il n'y a que réalité simple, juger le chat noir comme un signe ou un indice d'autre chose, c'est de la superstition. Et la superstition est proche d'une croyance qui attribue aux êtres une sorte de puissance magique comme dans l'animisme, par exemple. Le chat noir n'a pas de sens *autre* que le chat noir réel. L'homme n'est pas le signe de... Signe de quoi ? De qui ? L'homme signe de lui-même ? Signe d'une évolution ? Signe d'un Dieu créateur ? Mais pourquoi l'homme doit-il avoir un sens ? Pourquoi l'homme cherche-t-il tant à donner ou à se donner une signification ? Pour s'éviter l'aveu d'une non-signifiance ou d'une insignifiance ?

Pourquoi la superstition ? Dans un premier temps, elle rassure. On peut la comprendre comme une consolation à la non acceptation du réel tel qu'il est, sans sens, insensé, absurde. Ou comme une réaction de peur. Une crainte et un déni du réel qui n'est pas comme on souhaiterait qu'il soit. Ce refus de la réalité changeante, éphémère, sans sens en soi, sans but, absurde et mortelle nous pousse à donner un sens *autre* au réel ou au monde : un sens *autre* à sa propre vie ; comme si la vie devait avoir un sens qui n'est pas de cette vie ou un but qui se situerait au-delà de sa propre réalité. Comme si la vie devait être l'indice (ou le signe) de l'existence d'une réalité qui n'est pas de ce monde. La superstition ne fait pas autre chose que d'aménager une signification *autre* à la réalité qu'on refuse telle qu'elle est. La réalité silencieuse, sans signification, simple et pleine telle qu'elle est, est absence de sens, absence de signification ou de sens. Le sens n'est là, inventé par l'homme, qu'en tant qu'il manque en réalité. Mais la superstition affirme : il y a *dans* le monde quelque chose qui n'est pas *du* monde. Il y a *dans* le chat noir quelque chose *autre* qui n'est pas *du* chat noir. Il y a dans le monde quelque chose qui est extérieur au monde. Qui n'est pas de ce monde. Le sens doit être absent du monde réel donc *autre* que réel pour être et pour susciter «la croyance du sens» ou la superstition.

On refuse la mort : on lui invente un tout autre sens que ce qu'elle est, c'est-à-dire une fin, un terme. On souhaite que tout soit permanent, on refuse l'éphémère, l'impermanence, alors on crée par-dessus la mort, par-dessus la réalité un sens qu'elle n'a pas, on croit à autre chose : à la permanence, à l'immortalité, à l'éternité, pour ne pas voir la mort en face. «Faut croire pour ne pas voir» ce qui est. Ou croire pour voir ce qui n'existe pas.

Dans un deuxième temps, cependant, la superstition ne rassure plus. La réflexion sensée peut mener à une remise en question de cette croyance aux signes. Car, installé dans cette religion d'indices, on risque d'arriver à croire et à voir des indices partout. L'esprit équilibré ne veut pas s'enfermer dans une sorte de paranoïa qui le troublerait, qui lui apporterait craintes et tremblements. Le superstitieux, s'il réfléchit, peut se buter à un paradoxe : pour conjurer son angoisse, il invente un sens à sa vie, mais comme ce sens n'est pas fondé avec certitude, il peut en ressentir de l'angoisse. Exemple : celui qui organise sa vie en rapport avec l'horoscope peut craindre pour sa vie à cause de l'horoscope. Il faut donc aller plus loin : il faut donner du sens au sens même. C'est ce qu'on appelle la foi. La religion serait-elle le haut de gamme de la superstition ?

Donner du sens au sens, ou de la foi

La superstition donne du sens à ce qui n'en a pas ; elle voit dans la réalité des indices qui renvoient à une autre réalité: un monde d'*ailleurs* qui peut être permanent, éternel, idéal, transcendant... «Et si cela n'était vrai pas vrai ? » Si cela n'était que relatif à mon interprétation personnelle ? D'où l'importance d'aller plus loin et de s'assurer d'une vérité non plus relative, mais absolue. On passe alors de la superstition à la foi religieuse. Du mythe à la religion.

Dans les religions occidentales, il existe un seul Dieu. Ce monothéisme est une «invention» du judaïsme, mais il fut et est encore défendu par plusieurs philosophes importants qui voient en Dieu une raison du monde ou, encore, une raison de leur foi. Ce Dieu unique tout-puissant, éternel et omniscient est le créateur de tout ce qui existe sauf de lui-même puisqu'il est incréé ou non causé, existant par soi. Il est le Transcendant, celui qui est au-delà de tout. Il est donc la Vérité, la Réalité qui comprend tout : il est l'Absolu.

Dans la foi, c'est cet Absolu qui donne sens à la réalité quelle qu'elle soit — univers minéral, vie microscopique, nature, vie humaine — puisque tout vient de lui. Il est l'Origine. Cet Absolu est aussi la Fin de tout. Tout ce qui existe est orienté vers Lui, va vers Lui, l'unique Absolu. Il est donc l'Alpha et l'Oméga de tout. Il est, pour nous, êtres humains conscients de notre propre mort, le Sens qui donne sens à la vie donc à la mort. Vraiment à tout. Contrairement à la superstition, qui donne sens aux choses par une interprétation personnelle ou par crédulité ou animisme, dans la foi, c'est Dieu, l'Absolu lui-même qui donne sens au réel. Cela est beaucoup plus rassurant, car la vérité ne vient plus de l'interprétation d'un moi personnel — le moi d'un homme fragile, parfois naïf, parfois intérieurement déchiré — mais de Dieu lui-même, le Sens et le But de tout. Alors, dans ces conditions, pourquoi ne pas *croire*, c'est-à-dire donner l'assentiment de son esprit à cette Vérité transcendante ? D'autant plus que cette grande

Vérité — l'existence d'un Dieu tout-puissant — est révélée, selon les traditions religieuses et les textes sacrés, par Dieu lui-même. Croire : un très beau pari qui ne comporte, idéalement, aucun risque ! Sauf que la certitude ne tombe pas toujours facilement du Ciel ; plusieurs croyants restent inquiets toute leur vie et doivent se surpasser en vitalité spirituelle.

Croire plutôt que savoir, voilà deux attitudes humaines très différentes. L'une, la *foi*, m'apporte la vérité absolue parce que divine, l'autre, le *savoir*, me procure une vérité relative parce que fondée sur des preuves ou des démonstrations rationnelles, donc, humaines. Absoluité contre relativité !

Est-ce que cette distinction relève du savoir ou de la croyance ? On ne peut se dispenser totalement de la croyance puisque jamais l'être humain n'a pu, ne peut et ne pourra tout vérifier scientifiquement ; il restera toujours, même pour le plus radical des rationalistes, une marge d'obscurité qui exigera une confiance émotive de sa part. Mais dans la « vraie vie », la croyance béate semble être une attitude infiniment plus répandue que l'inquiète curiosité du chercheur. Certains chefs politiques rêvent même de voir tout un peuple croire plutôt que savoir, adhérer aveuglément plutôt que réfléchir. La foi « monolithise » la masse, la réflexion incite les individus à un certain recul.

Voilà la force de la foi : le savoir est relatif et humain, donc trompeur ; la superstition est une foi naïve qui se rapporte à des signes subjectifs qui donnent sens ; alors que la foi, c'est l'absolu ! La religion révélée nous ouvre au Sens du sens : à Dieu. Contrairement au savoir qui explique la réalité par une connaissance des causes ou des raisons, la foi fait comprendre le sens de toute réalité par la seule raison de l'existence d'un Dieu créateur, Cause première, source de toutes raisons et de toutes significations.

Et Dieu ? Que peut-on en dire ? Rien puisqu'Il est, par définition transcendant, donc au-delà de la raison humaine et en dehors du monde. Tout puisqu'Il est le Sens du monde. Rien parce qu'Il est *autre* que le monde. Il est absence du monde. Il est ce qui manque. Tout parce qu'Il est présence et satisfaction totale : Il remplit nos désirs absolument, parce qu'Il supprime tous les manques.

Il manque à l'homme l'éternité ; Dieu donne l'éternité. Qu'est-ce que l'homme désire ? Ne pas mourir, être aimé, ne pas perdre ceux qu'il aime. Et qu'annonce la religion ? Que Dieu ressuscite les morts, que Dieu nous aime, qu'Il est amour absolu et qu'Il donne sens à tout. Dieu est Dieu parce qu'Il est exactement tout ce qu'on peut désirer et espérer de mieux. Il est Celui qui est : l'Être, le Réel, l'Existence qui nous contient tous. Dieu ou la Vérité.

L'univers créé (incluant l'homme) est le signe de Dieu. La vie humaine acquiert un sens car l'homme est l'expression de Dieu comme le mot est une expression qui signifie. L'homme signifie Dieu, il est le signe de Dieu et signifiant grâce à Dieu. Sans Dieu (la signification par excellence et la Référence de tout), l'homme n'a plus de sens car il ne se signifie lui-même que par lui-même, *il n'a plus de rapport autre* qu'avec lui-même. Sans Dieu, nous sommes non signifiants ou insignifiants. Dieu seul donne un sens à la vie.

Trop beau pour être vrai, dit-on ? On peut se le demander. Croire en Lui, n'est-ce pas prendre ses désirs pour la réalité ? On peut se demander si la religion n'est pas simplement une *illusion* au sens que Freud donne à ce terme : « Il serait très beau, écrit-il, qu'il y eût un Dieu créateur du monde et une Providence pleine de bonté, un ordre moral de l'univers et une vie future, mais il est cependant très curieux que tout cela soit exactement ce que nous pourrions nous souhaiter à nous-mêmes. » Croire en Dieu, c'est croire en tout ce que l'on désire absolument. C'est merveilleux ! Trop ? N'est-ce pas suspect ?

Non, répond la religion : la véritable foi, c'est ne plus douter parce que la Vérité est absolue. Perfection. Avec la foi, on n'a pas à chercher la vérité, mais à la suivre ; on n'a pas à faire le bien, mais à le suivre. C'est pourquoi les religions, parce qu'elles possèdent toutes le Bien et la Vérité révélée, sont « autoritaristes ». La Vérité absolue ne se discute pas. Il ne nous reste plus qu'à prier : demander et espérer.

« Faut croire pour le voir », ou de la prière

On connaît tous la vieille question : est-ce Dieu qui a créé les hommes ou les hommes qui ont créé Dieu ? Répondre à ça, c'est avoir la foi ou avoir une position métaphysique qui est une sorte de «foi profane» ou, en tous cas, d'adhésion rationnelle non démontrable. Je vais tenter d'y répondre par une explication de la prière et du désir.

Qu'est-ce que prier ? C'est demander et espérer. Pourquoi ? Parce qu'on désire. Et qu'est-ce que désirer ? C'est vouloir ce qui manque, vouloir ce qui n'est pas. Et l'on se tourne les yeux tout naturellement vers le ciel. «Mon Dieu, faites que je gagne un million ! » «Mon Dieu, faites que ma vie soit éternelle ! » Demander et espérer, c'est, finalement, prier que son désir soit comblé.

La prière est une demande ou l'expression d'un désir ou d'un espoir qui lui-même crée le manque. Ne pas ou ne plus prier peut être l'indice que l'on n'espère plus, et ne plus espérer, que l'on ne désire plus ou que l'on accepte ce dont on jouit. Au contraire, plus on désire, plus on espère, plus on manque et plus on prie ; or, plus la demande devient fervente, plus on arrive à croire que le désir ou le manque sera comblé, car la prière est une expression de désir accompagné de foi et d'espérance. Et, dans la force de sa prière, donc dans la force de sa foi et de son espérance, il arrive que le désir soit comblé. Miracle ou illusion ? Je ne peux pas le dire et je ne suis pas le seul à ne pouvoir me prononcer sur la réalité des miracles. Cependant, on peut tenter quelques explications.

Il peut arriver ce que Freud appelle «une dérive de ses désirs». Cela veut dire «prendre ses désirs pour la réalité»; le désir comblé par la foi est sans doute une illusion de la véritable satisfaction, mais cette illusion est si proche de la sensation d'une véritable satisfaction qu'elle renforce, à son tour, la foi. L'illusion est si prégnante et la foi devient, alors, si puissante qu'elle transforme toute la complexion physiologique, chimique et neurologique de la personne qui désire : celle-ci peut voir ou entendre, sentir la satisfaction de ses désirs comme transportée par une force... miraculeuse. Ou hallucinatoire? On «voit» ce qui comble, on «entend» ce qu'on espère. La foi est telle qu'elle fait voir. On croit tellement qu'on voit. Croire au point de voir. C'est pourquoi, me semble-t-il, l'expression «faut voir pour le croire» est incorrecte. Il serait plus juste à mon avis de dire «faut croire pour le voir».

On dit que la prière exprime la foi, mais en fait, la prière précède et engendre la foi. C'est à force de prier qu'on arrive à croire. Prier est une forme d'autosuggestion ou d'autoconditionnement afin que ce que l'on désire ou espère advienne. Et ça marche. Comme un placebo, qui peut avoir une action bénéfique. D'où le grand nombre de croyants qui, avec conviction, affirment avoir été satisfaits ou comblés ou guéris par la prière, donc par la foi. Dieu apparaît au bout de la force de cette foi comme la réponse à ses désirs. «Faut croire pour le voir.»

Dieu apparaît comme la Réponse certaine. Une Certitude qui comble le plus grand désir de l'homme: être signifiant. L'homme s'angoisse d'être sans raison, absurde, mortel pour rien: il veut avoir du sens. Il veut que son existence soit significative et non vaine. L'homme désire du sens. Il veut croire qu'il a du sens. Et la foi en un Sens vient de la force de la prière, moyen privilégié pour renforcer la foi et, par conséquent, solidifier la certitude du Sens.

Les hommes en général angoissent à l'idée que la vérité n'ait pas de sens. Car si Dieu n'existe pas, non seulement le réel (et l'homme inclus) n'a pas de sens mais la vérité, elle-même, qui est la réalité, n'a pas de sens non plus. Affirmer comme cela, de but en blanc, que la vérité n'a pas de sens, c'est pénible et peut-être même insupportable (à moins d'être un intellectuel ou un cynique). Il faut beaucoup de philosophie pour absorber et assumer cette peine ou encaisser cette «vérité» que celle-ci n'a pas de sens. Se garantir la certitude que la réalité, la vérité et la vie humaine aient du sens passe obligatoirement par la foi et la foi, ce don de Dieu, par la ferveur de la prière. «Prier pour la grâce de Dieu.»

C'est dans la prière répétée avec dévotion qu'on arrive à croire que la vie a un sens parce qu'on arrive à croire et même à voir l'autre monde et l'autre vie puisque le sens du monde ne peut être qu'un *autre* monde, le sens de la vie qu'une *autre* vie.

C'est très sérieux la prière ; c'est elle qui dépose en chacun de nous la certitude d'un sens à sa vie. La prière et la foi font de l'homme un être non plus absurde, non plus insignifiant, mais sensé. « La prière (la foi) va du non-sens au sens, et le rire (l'humour) va du sens au non-sens », nous fait remarquer Comte-Sponville. « Le contraire de croire, c'est savoir ; le contraire de prier, c'est rire[1] », ajoute-t-il.

Les aveugles n'ont pas besoin de leurs yeux pour avoir la foi. Au contraire. Leur cécité les oblige à croire ce qu'ils ne peuvent voir. *Ne pas voir force à croire.* Comme nous ne voyons pas, un peu comme les aveugles, ce que nous réserve l'avenir, l'avenir n'étant rien puisque vide de présent, nous sommes forcés de croire si nous voulons voir.

Voilà la formule juste : il faut croire pour le voir. « Faut le voir pour le croire » est donc une locution tout à fait impropre, car si je vois, si j'ai des preuves ou si j'utilise mes sens pour connaître, je ne crois plus, mais je sais. Il serait plus exact de dire : « Faut le voir pour le savoir. » Mais il est plus difficile de savoir que de croire. On croit à la condition qu'on ne sache pas. On croit au Père Noël parce qu'on ne sait rien de son existence ; en fait, on y croit parce qu'on ne sait pas qu'il n'existe pas. « La foi... cet asile de l'ignorance » (Spinoza).

S'il est difficile de savoir, il est plus facile de croire, car on n'a pas de preuves à chercher ni de démonstration rationnelle à trouver. Par exemple, il est plus facile de *croire en soi* que de *savoir en soi*. Il suffit de se répéter que « je suis bon » ou que « je suis puissant » pour arriver à y croire. La répétition comme la prière provoque la conviction ou la croyance en soi ; alors que *savoir en*

1. A. Comte-Sponville, *Traité du désespoir et de la béatitude*, t. 2, *Vivre*, Paris, PUF, 1988, p. 196.

soi exige toute une recherche introspective, une investigation systématique et cela est beaucoup plus fastidieux à pratiquer que la simple répétition autosuggestive.

Croire exige de la prière pour que la foi se renforce et permette l'accès à la vérité. Savoir exige recherches, doutes, relativisme, méthodes, remises en question, critiques et la découverte de sa propre ignorance. Cela est très fatigant. Même angoissant. Savoir ne permet pas de trouver un sens à sa vie. Croire, oui. Ou faire comme si.

SUGGESTIONS DE LECTURE

André Comte-Sponville, *Traité du désespoir et de la béatitude*, t. 2, *Vivre*, Paris, PUF, 1988. Le point de vue d'un athée sur la morale, la religion et la métaphysique ; on y approfondit l'idée de bonheur et de sagesse malgré la difficulté de vivre.

Épicure, *Lettres et maximes*, Paris, PUF, «Épiméthée», 1999. Une magistrale introduction à l'éthique épicurienne de Marcel Conche et une bonne leçon de sagesse antique : «Dès ici-bas, il existe une vie bienheureuse.»

Sigmund Freud, *L'avenir d'une illusion*, Paris, PUF, «Quadrige», 1996. Texte important du célèbre psychanalyste qui suscite maintes réflexions philosophiques autant sur Dieu et sur les désirs humains que sur notre monde.

Hubert Reeves, *Patience dans l'azur*, Montréal, Québec-science, 1981. Une belle fresque qui intègre l'homme et sa pensée dans l'univers apparemment sans sens. «Devenir un adulte, c'est ne plus croire au Père Noël.»

Baruch Spinoza, *Éthique*, Paris, Garnier-Flammarion, 1965. Œuvre difficile mais tellement salutaire quand on parvient à en saisir l'essentiel — on peut se faire aider. Toute la pensée moderne s'y trouve et particulièrement le rapport de l'homme avec la nature.

http//atheisme.free.fr./revue_presse/science.htm Un site accueillant, même pour les croyants, extrêmement riche en informations dans tous les domaines notamment en histoire de la philosophie et, en prime, de l'humour, de l'humilité et de l'humanité.

CHAPITRE 6

Tous les espoirs sont permis

Quand on dit que tous les espoirs sont permis, que l'espoir fait vivre, que tant qu'il y a de la vie, il y a de l'espoir, ou encore que la jeunesse est l'espoir du pays, on rappelle que la vie est temporelle et que le temps ne se conçoit qu'avec du passé, du présent et du futur. Or, ce rapport au futur est source de manque, d'ignorance et d'impuissance d'où la tendance à espérer. Alors que le bonheur au présent, c'est jouissance, savoir et pouvoir.

« Tous les espoirs sont permis » exprime une espérance, une attente confiante et même rassurante ; quand tous les espoirs sont permis, nos désirs peuvent se réaliser en toute sécurité. L'espoir ou l'espérance — termes que nous emploierons indifféremment — est un sentiment considéré comme positif dans notre culture. Est-ce dû à une tradition chrétienne qui voit l'espérance comme une vertu théologale, une vertu capitale pour le salut personnel ? L'espérance est une attente ouverte portant sur des résultats matériels (comme l'espoir de gagner ou d'obtenir une fortune), mais surtout sur l'accomplissement de l'être personnel.

Bien que l'espoir soit considéré, dans notre idéologie sociale, politique et économique comme un atout humain essentiel («Un monde sans espoir est irrespirable», disait Malraux), les philosophes ont, de tout temps, manifesté beaucoup de méfiance à son égard: «Quand il y a de la crainte, il y a de l'espoir; quand il y a de l'espoir, il y a de la crainte» (Spinoza). L'espérance serait associée à la peur ou à l'angoisse et certainement à une sorte de tristesse; ce qui, pour nombre de philosophes, est impropre à la sagesse. «L'espérance n'est qu'un charlatan qui nous trompe sans cesse; et, pour moi, le bonheur n'a commencé que lorsque je l'ai perdue» (Chamfort). Voilà ce qu'il faut, en philosophie, savoir au départ: l'espérance est suspecte.

L'espoir fait vivre, dit-on. Être plein d'espérance, c'est se sentir tendu vers un avenir radieux; la jeunesse est emblématique de l'espérance, car elle n'a rien accompli et, comme une page blanche, elle est pleine de ce qu'elle n'est pas ou de ce qu'elle n'a pas fait encore. Pleine de vide. Être plein d'espoirs, c'est être plein de manques. Voilà une manière bien négative de concevoir l'espérance; ne serait-ce pas mieux d'affirmer qu'être plein d'espoirs, c'est être plein de possibles? Possible: qui n'est pas, mais qui pourrait être. Espérer, c'est tendre vers le possible, qui n'est pas l'impossible auquel nul n'est tenu. Il y a donc dans l'espérance une ouverture sur le futur, c'est-à-dire sur ce qui n'existe pas encore.

Face à ce néant, à ce vide ou à cette possibilité qui vient, «tous les espoirs sont permis», même s'ils ne sont pas toujours raisonnables. En effet, certains espoirs prennent parfois la forme de véritables défis exigeant d'énormes doses de foi ou de témérité ou de présomption sinon de crédulité. Qui n'a pas entendu certains jeunes espérer devenir des stars de calibre international ou des personnalités de grand pouvoir? Cet espoir n'est pas totalement ni statistiquement exclu; un très petit nombre y arrivent, mais, bien souvent, sans pour cela qu'ils en aient eu l'espoir. La locution «tant qu'il y a de la vie, il y a de l'espoir» exprime bien l'idée qu'une toute petite possibilité suffit au futur ou, mieux, à l'imaginaire du futur. Encore faut-il que la possibilité physique, matérielle ou psychique n'entre pas en contradiction avec les lois de la nature. Combien de grenouilles veulent se faire aussi grosses que le bœuf et combien de pissenlits espèrent devenir des orchidées ?

Espérer, c'est désirer sans jouir, sans savoir et sans pouvoir [1]

L'espérance, c'est d'abord un désir qui porte sur l'avenir. La symétrie ou l'équivalent de ce sentiment au passé serait la nostalgie : un désir qui s'accroche au passé, mais un désir insatisfait, d'où le regret mélancolique, d'où la tristesse. Même tendue vers le futur, l'espérance est une tristesse si elle ne s'accompagne pas d'une forte dose de foi, car elle est un désir qui porte sur ce qu'on n'a pas : un manque. Cela n'amuse personne. Se laisser aspirer vers l'avenir plutôt que de jouir du présent, c'est triste. Pourquoi le futur ? Parce que le présent est insatisfaisant. Mais pourquoi l'avenir serait-il plus satisfaisant ? Parce qu'il n'est pas le présent lourd et suffocant, le futur est plus léger, plus aérien, plus lointain et, d'une certaine façon, il n'est encore rien ; en fait, c'est du néant. Le futur n'existe pas. Il n'existe que dans l'imaginaire. L'avenir, c'est ce dont on n'a pas jouissance maintenant, mais qui stimule par les espoirs qu'il suscite. Pourtant, l'avenir, c'est ce qui n'est pas et ce qui manque. Quelle est cette idée de se tourner vers ce qui manque quand on a ? Bref, pourquoi espérer ? « Nul n'espère ce qu'il a. » L'espérance est un désir qui porte sur ce qu'on n'a pas, sur ce qui manque. « Nul n'espère ce dont il jouit. » Or, il manque beaucoup à ceux qui ne se contentent pas de ce qu'ils ont ni de ce qu'ils sont, à ceux dont les désirs sont

1. André Comte-Sponville a réussi à faire un résumé très clair des arguments qui exposent les facettes négatives de l'espérance. Notamment dans *La sagesse des modernes* qu'il a écrit avec Luc Ferry. Je ne peux mettre de côté ces aspects et je m'en inspire librement. Dans cette section, les citations non attribuées sont du philosophe Comte-Sponville.

constamment titillés par les séductions de la réclame. Et ils sont nombreux. Et ils sont de tout âge, puisque le désir de ce que l'on n'a pas s'apprend déjà avec le Père Noël.

Espérer un grand bonheur ! Espérer un miracle ? Espérer, c'est attendre et manquer. « Espérer, c'est désirer sans jouir. » Or, désirer sans jouir n'est-ce pas le contraire du bonheur ? N'est-ce pas la tristesse même ? Le miracle, c'est le présent. Retenons cela.

Il n'y a pas que l'avenir qui soit un objet de désir et un objet de méconnaissance. L'espérance est un désir qui peut aussi porter sur le présent quand ce désir est accompagné d'une ignorance. Par exemple, un professeur mal préparé et ne connaissant pas très bien ni son sujet ni son auditoire pourrait s'exclamer : « J'*espère* que vous ne regrettez pas d'être ici ! » Ce sentiment n'effleurerait pas un prof assuré, confiant, qui *sait* que son groupe veut apprendre. Encore ici, l'espérance, assortie d'une ignorance, se range parmi les sentiments négatifs telles la crainte ou l'appréhension. L'inquiétude, c'est humain, mais ce n'est pas une raison de la susciter ou de la favoriser en espérant. Espérer est un signe d'anxiété qui vient d'une ignorance. Quand le présent est vécu avec connaissance, intensité et joie, rien n'attise quelque espoir que ce soit.

L'espérance est un désir qui peut même porter sur le passé quand ce désir est guidé par l'ignorance. Par exemple, sachant que mon frère a subi, hier, une opération chirurgicale, je pourrais me dire, ne connaissant pas ou ignorant les conditions du déroulement de l'intervention : « J'*espère* qu'il n'a pas souffert ! » L'espérance et la connaissance ne se rencontrent jamais. Comme la foi, l'espérance gravite autour d'une ignorance ; c'est pourquoi la connaissance, le savoir et la compréhension s'en dispensent facilement. Comprendre, connaître ou savoir, c'est cesser d'espérer. Et cesser de croire aussi.

L'espérance est un désir dont on ignore la satisfaction. Un peu comme la nostalgie qui « est un désir de je ne sais quoi » (Saint-Exupéry), d'où sa tristesse. « Nul n'espère ce qu'il sait. » Un astronome n'espère pas l'éclipse dont il connaît le jour, l'heure et la minute. Il sait. « Espérer, c'est désirer sans savoir. » Espérer, c'est désirer dans l'ignorance.

L'espérance est aussi un désir dont la satisfaction ne dépend pas de soi. « Nul n'espère ce dont il est capable. » Personne n'*espère* se lever pour la pause-café: on en est tous capables. Se lever, s'asseoir, sortir, quand on est en bonne santé, on en est tous capables. Cependant, tout ne dépend pas de nous. Comme les sages anciens, il est juste de faire une différence entre ce qui ne dépend pas de nous contre quoi il serait stupide de lutter et où l'espérance ne sert à rien, et ce qui dépend de nous à partir de quoi nous avons à exercer notre devoir (selon les stoïciens), et notre pouvoir d'agir et de jouir justement (Épictète) et de jouir heureusement (Épicure). Dans tous les cas, même devant l'inévitable, l'espérance est vaine et à éviter puisqu'elle inciterait à ne pas accepter le réel tel qu'il est et ainsi à créer des illusions et des craintes.

L'espérance est un désir accompagné d'impuissance. C'est pourquoi il est normal d'espérer qu'il fasse beau, car le temps ne dépend pas de soi. On espère quand on est dans l'incapacité de faire, de pouvoir ou de vouloir. « Nul n'espère quand il veut, quand il peut ou quand il fait. » « Espérer, c'est désirer sans pouvoir. » L'espérance : une impuissance.

Ainsi, espérer, c'est désirer sans jouir, sans savoir et sans pouvoir. Espérer est donc le contraire du bonheur. Le bonheur, c'est cesser de désirer ce qu'on n'a pas, ce qu'on ne sait pas et ce qu'on ne peut pas. Donc, le bonheur, c'est cesser de l'espérer puisqu'il est toujours inespéré. Le bonheur, c'est jouir, savoir et pouvoir, c'est aimer ce qu'on désire, ce qu'on sait et ce qu'on veut ou peut. C'est jouir, faire jouir et s'en réjouir dans le présent, car il n'y a que le présent qui soit. « Nos espérances mesurent notre bonheur présent bien plutôt que notre bonheur à venir » (Alain). Aimer ce qui est et, alors, à quoi bon espérer ! Comment être heureux quand on est en état de manque, en état d'ignorance et d'impuissance ? Comment être heureux quand on diffère la jouissance, le savoir, la puissance ? Comment être heureux quand on a toujours hâte à demain ou à plus tard? À chaque fois qu'on se prend en flagrant délit d'avoir hâte, peu importe pour quoi ou pour quand, c'est que le présent manque un peu d'intérêt et qu'il se soustrait à la vigilance de la conscience, c'est qu'il échappe à l'expérience du bonheur d'être ici et maintenant. Cette hâte (ou attente ou espérance) que l'on ressent est un indice que le présent n'est pas apprécié comme il le devrait. Le bonheur, c'est «avoir super hâte à rien» (Richard Desjardins).

Espoir et confiance

Ce qui distingue l'espoir de la confiance, c'est le présent. L'espoir porte sur le futur qui nous manque, qu'on ignore et qui ne dépend pas de soi. La confiance porte sur un futur qui est la poursuite du présent. Un futur qui découle du présent ou qui se déroule à partir du présent; d'un présent qui se fait et dont on jouit, qui ne nous manque pas et dont on n'ignore pas les processus ni les moyens de réalisation. Connaître les moyens de ses actions, c'est déjà réussir. L'idée de réussite implique la connaissance des résultats du processus. Or, ceux-ci ne reposent aucunement sur l'espoir ou l'espérance, mais bien sur une délibération raisonnée des moyens à prendre en vue d'une réalisation. C'est ce qu'on appelle, en philosophie, une prudence vigilante éclairée par la raison. De la confiance dans l'action, oui, parce que l'intelligence s'est informée des risques et des incertitudes du futur et a jugé des moyens à prendre en fonction des fins à atteindre à partir des forces présentes. Dans ces conditions, l'espérance est inutile: «Il n'est pas nécessaire d'espérer pour entreprendre ni de réussir pour persévérer», nous dit Guillaume d'Orange Nassau, politique hollandais qui affranchit les Pays-bas de l'empire d'Espagne. Le calcul des moyens, la délibération anticipatrice sont bons conseillers et cela suffit pour générer de la confiance et, en fin de compte, la réussite.

La confiance est connectée sur le présent et l'espérance en est déconnectée. Un projet qui ne réussit pas, c'est qu'il est plus espéré qu'entrepris. L'étudiant qui espère réussir ses examens sans entreprendre une étude sérieuse risque d'être déçu ; il aura beau espérer, l'échec l'attend inéluctablement. Alors qu'un travail agréable et, pourquoi pas, jouissif d'instant en instant ou de jour en jour lui apportera le bonheur tout au long du parcours et le succès finalement. La confiance et la simplicité de l'action joyeuse dans le présent sont les meilleurs garants de la réussite. Dès que l'on prend conscience de la chance unique d'être né, d'être au monde, d'être présent, on se considère, alors, soi-même comme une réussite, à chaque instant ; cesse, à ce moment-là, peu à peu l'espérance de réussir sans savoir, sans pouvoir et sans jouissance.

La confiance est au futur ce que la gratitude est au passé. La reconnaissance pour ce qui *fut* se fait à partir du présent ; comme la confiance en ce qui *sera* se fait à partir de maintenant. La gratitude est un heureux souvenir de ce qui fut, comme la confiance est un heureux pressentiment de ce qui sera. La gratitude comme la confiance sont des attitudes joyeuses, alors que l'espérance et la nostalgie ou, pis, le regret sont des attitudes tristes chez l'être humain.

Ainsi, l'espérance est au futur ce que le regret et la nostalgie sont au passé. Celui qui vit d'espoir n'est pas là, ici et maintenant, il est ailleurs et demain ; ainsi, celui qui ressent de la nostalgie ne vit pas le présent, il est dans ses images d'hier, comme celui qui regrette reste, lui aussi, accroché au passé. Dans ces circonstances malheureuses, on désire échapper au présent, ce qui n'est pas possible. D'où la mélancolie du regret et de la nostalgie. D'où la tristesse de l'attente qui n'en finit plus d'espérance.

Tout cela est facile à dire et même à penser. Ni les mots ni les pensées, même répétés, n'apporteront magiquement les attitudes et les sentiments sereins de la confiance et de la gratitude. Les sages ne font pas que de la théorie, ils pratiquent, ils vivent leurs pensées. C'est aussi ça, la philosophie. Les exercices quotidiens qui mènent à la sérénité ne font pas partie de nos habitudes, il faut bien l'avouer, mais ils s'intègrent obligatoirement dans la discipline normale des sages.

Nos sociétés productivistes, qui «ont à cœur» le bonheur de la majorité, ont mis à notre disposition une panoplie d'objets et de divertissements pour que notre présent fréquemment terne soit distrait de son manque, de son ignorance et de son impuissance. Aujourd'hui, vivre au présent veut souvent dire vivre étourdi, mais euphorique, vivre par procuration (à travers nos vedettes et athlètes) afin que le regret, la nostalgie et le malheur n'aient pas prise sur nos cœurs de consommateurs insatiables. Afin que l'espoir d'un jour meilleur soit toujours à la portée d'un désir. Ou d'une illusion…

Alors, doit-on vivre de désespoir? Le mot fait peur, car il veut dire perte d'espoir, perte de quelque chose; mais, entre nous, perte de rien si ce n'est qu'illusions. Être désespéré signifie effectivement avoir perdu espoir; c'est dire que le désespéré est celui qui est déçu d'avoir espéré. D'avoir espéré en vain. S'il n'avait pas espéré, il n'aurait pas connu la perte d'espoir ou le désespoir. Plus on espère, plus on risque de désespérer. «On a retrouvé le corps du désespéré», c'est-à-dire du suicidé. On devrait plutôt dire: «On a retrouvé le corps du déçu de l'espoir.» On ne se suicide pas du non-espoir ni de l'«inespoir», mais d'une souffrance insupportable ou d'une détresse intolérable créée par une profonde déception ou une affliction immense par rapport à une attente où tout espoir est perdu et où le présent est, pour ainsi dire, absent. On se suicide quand l'espoir ou le dernier recours «espérable» n'advient pas. Le bonheur est toujours inespéré, car il dépasse toute espérance.

La religion et l'espérance

Ce qui caractérise les religions, c'est l'espérance. Leur bonheur n'est jamais ici-bas, il est dans un autre monde, une autre vie. Ce qui implique autre chose qu'un corps mortel qui ne vit que du présent. Ce qui suppose une âme immortelle dont le salut n'est pas de ce monde. Ce qui signifie l'existence d'un Dieu qui juge les mérites et les torts de tout un chacun. L'espérance, ça suppose beaucoup de «nouvelles réalités», beaucoup de suppositions et de présomptions parce qu'elle se construit sur le déni du réel tel qu'il est: mortel, dégradable, corruptible, donc, impermanent et changeant.

On est porté à croire ce qu'on espère, c'est pourquoi toute espérance s'accompagne de la foi. Croire au ciel, c'est espérer qu'il nous rendra le bonheur éternel. Croire au marché, c'est espérer qu'il nous rendra prospère. Toutes les religions ont l'espérance et la foi comme carburant. On peut même distinguer la philosophie de la religion sous ce rapport particulier: en philosophie, on doute et désespère jusqu'à la sagesse; en religion, on croit et espère jusqu'à la certitude absolue. La philosophie combat les mythes et les dogmes; les religions les supposent et les magnifient. Même certains courants de pensée ou certaines idéologies font parfois figure de religions en définissant leurs vérités comme des dogmes auxquels il faut adhérer.

Une illusion n'est pas une erreur, mais c'est la dérive d'un désir (et souvent d'une espérance) qu'on prend pour une réalité ou pour une vérité... tant que cette dernière n'a pas été remise en question ou explicitée par la philosophie ou la science. Plusieurs philosophes ont voulu comprendre ce phénomène: l'homme cherche une transcendance, l'homme a besoin d'un dépassement de lui-même, l'homme désire une victoire certaine sur l'éphémère; il désire une vie éternelle. L'homme dans ses désirs amplifiés par son imaginaire ne fait-il pas de grands rêves, des réalisations fantastiques et des utopies exaltantes? N'est-ce pas de sa part une scission d'avec lui-même, c'est-à-dire d'avec sa nature mortelle? Une négation de la réalité par l'espérance désirante qui projette ses illusions. La religion est un «bonheur illusoire» (Freud). «Le soupir de la créature opprimée, l'âme d'un monde sans cœur, l'opium du peuple» (Marx). «Toute religion n'est que le reflet fantastique, dans le cerveau des hommes, des puissances extérieures qui dominent leur existence quotidienne» (Engels). «La religion est une réaction défensive contre la représentation, par l'intelligence, de l'inévitabilité de la mort» (Bergson). À les écouter, ces philosophes, ne serait-il pas en effet plus opportun de magnifier nos désirs et notre imaginaire dans l'art, la science et la philosophie ?

L'espérance et le monde actuel

Ceux qui dominent vivent de présent et de bonheur : jouissance, savoir, pouvoir. Ceux qui sont dominés vivent de futur et d'espérance : manque, ignorance et impuissance. Quand on est jeune, on ne peut faire autrement que d'espérer ; il n'y a rien derrière, tout est devant. La jeunesse, c'est l'espoir du pays, dit-on. La société par ses institutions, ses structures d'autorité et sa propagande sollicite d'une manière éhontée à ne vivre que pour le futur. Comme si on était tous des enfants.

On exploite l'espérance comme une force, comme une ressource productive et consommable. Le futur n'appartient à personne et, pourtant, le sentiment le plus courant chez les jeunes adultes, c'est la foi et l'espérance. « Demande l'impossible ! » « Il y va de ton avenir ! » « Investis en toi pour demain ! » La foi, mais surtout l'espérance et le cœur toujours tourné vers ce qui n'est pas, mais qui viendra, vers ce qu'on n'a pas, mais qu'on aura, sont les attitudes quasi quotidiennes de nos jeunes adultes d'aujourd'hui. Ces exhortations mêlées au désir sexuel et à celui de la réussite, cela fait un cocktail explosif ! Ça fait l'amour des chansons, les croyances au Père Noël, les drames au quotidien et l'insécurité du futur. Ça fait les déchirements, les attentes et les désespoirs. Les pessimistes ne se suicident pas ; il n'y a que les optimistes pour qui mourir, c'est une bonne affaire. Une ultime espérance.

Mais de plus en plus, jeunes et moins jeunes protestent. Ils se désolidarisent de tout ce qui exige de chacun une résignation joviale à croître et à performer dans un même et seul sens. Vers un futur à propos duquel on ne consulte jamais. On connaît la maxime orientale : « Ce n'est pas le but du voyage qui compte mais l'instant présent de la marche... » Le futur empêche le «laisser être». Il balise et limite le présent; le presse comme un citron. Le futur contraint, oblige et angoisse. Alors, pourquoi s'acharner tant à en promouvoir l'espérance?

SUGGESTIONS DE LECTURE

André Comte-Sponville et Luc Ferry, *La sagesse des modernes*, Paris, Robert Laffont, 1998. Un débat entre deux philosophes actuels sur des questions essentielles: Comment vivre?Y a-t-il une spiritualité pour notre temps? Une sagesse pour les modernes?

Sigmund Freud, *Malaise dans la civilisation*, Paris, PUF, 1971. Sur la notion de bonheur, de religion, de désir et d'espérance pourquoi ne pas consulter le grand psychanalyste? A-t-il un regard encourageant sur cette civilisation qui est la nôtre? Lucide et toujours actuel.

Sumangal Prakash, *L'expérience de l'unité*, Paris, Accarias, 1986. Dialogues avec Swami Prajnanpad, un maître spirituel et un thérapeute d'inspiration hindouiste et freudienne qui bouscule nos certitudes occidentales, notamment, sur la puissance du moi et l'espérance.

Jean-François Revel et Matthieu Ricard, *Le moine et le philosophe*, Paris, Nil, 1997. Le père et le fils, le sceptique et le croyant, le pessimiste et l'optimiste, la philo occidentale en désarroi et la sagesse bouddhiste en pleine effervescence. Une introduction à deux mondes.

Lama Surya Das, *Éveillez le bouddha qui est en vous*, Paris, Robert Laffont, 1997. L'auteur est un Américain bouddhiste; son langage est actuel et proche de notre culture. Ses explications du bouddhisme, philosophie sans Dieu et sans espérance, sont claires et revigorantes.

http://fr.dir.yahoo.com/Sciences_humaines/Philosophie/Ecoles_et_courants/Philosophie_orientale/ Site où le surf est intellectuellement jouissif. On passe de l'université au tatami, de la théorie au yoga, de la pensée à la pratique...

CHAPITRE 7

À chacun sa vérité

« Si la vérité se réduisait à la connaissance que l'on en a, on ne pourrait ni la chercher, ni la découvrir, ni, même, l'ignorer » (André Comte-Sponville). Le philosophe, qui est un amant de la vérité et, sans doute aussi, de la réalité, estime plutôt que la vérité est ou doit être quelque chose d'universel et même d'éternel. Condition exigeante, mais sinon à quoi bon connaître et philosopher?

L'expression «à chacun sa vérité» (qui est aussi le titre français d'une célèbre pièce de Pirandello) veut dire que ce qui est vrai ou valable pour l'un ne l'est pas forcément pour un autre. La formule, passée à l'état proverbial, met en relief l'aspect subjectif des valeurs et des jugements. On peut rapprocher de cette locution ce mot que l'on doit à Pascal: «Vérité en deçà des Pyrénées, erreur au-delà», qui souligne le caractère relatif de la notion de vrai. Déjà un problème philosophique sur les notions de vérité et de valeur, d'absolu et de relatif. S'il y a une notion qui occupe la grande partie de l'activité du philosophe, c'est bien la vérité. Quoi qu'il pratique, cherche ou pense, la vérité l'attire et l'inquiète, lui, l'amoureux de la sagesse. Depuis au moins deux siècles, cependant, la philosophie a un peu renoncé à l'antique conception de l'amour de la sagesse [1]; ce sont ses filles légitimes, les sciences exactes et les science humaines qui, aujourd'hui, sont à la recherche de la vérité. Mais, devant le désarroi de notre civilisation, on sent, autant chez les amants de la philosophie que chez un large public, un net retour à la traditionnelle mais toujours actuelle conception de la philosophie comme sagesse : la philosophie n'est pas une science pure et théorique, « c'est une activité dynamique qui, par des discours et des raisonnements, nous procure la vie bienheureuse » (Épicure). J'ajouterais : le bonheur, certes, mais pas déterminé par n'importe quelle baliverne ou devoir de circonstance, un bonheur réglé sur la vérité. « Mieux vaut une vraie tristesse qu'une fausse joie », disait mon prof de philo.

Et s'il y a une locution qui heurte le philosophe, le scientifique ou le chercheur quel qu'il soit, c'est bien « à chacun sa vérité » puisque, si c'était vrai, cela réduirait à rien son effort et son amour pour la vérité. S'il fallait que les trois angles d'un triangle ne soient égaux à deux angles droits que pour certains, mais sans aucune vérité pour d'autres, à quoi serviraient la géométrie et toute connaissance ou recherche de la vérité ? Si César n'a été assassiné par Brutus que pour certains historiens mais pas pour d'autres, à quoi servirait la quête de la vérité historique ? Affirmer que la neige est blanche ou que le verglas est plus lourd que la neige, cela est une vérité depuis toujours et pour toujours même en été. Même au Sahara. Le réel est ce qu'il est ; et ce réel, quand il est adéquatement connu, est vrai indépendamment du temps et de l'espace. La vérité est une et éternelle. Mais attention, cela, comme tout, n'est pas si simple.

---

1. Depuis Kant, notamment, la philosophie a laissé de côté la recherche de la Vérité au profit de l'explication du Sens. Là-dessus, plusieurs commentateurs et historiens de la philosophie s'entendent.

Vérité et connaissance

«La vérité, dit David Hume, comporte deux genres: elle consiste soit dans la découverte des rapports des idées considérées comme telles, soit dans la conformité de nos idées des objets tels qu'ils existent réellement[2].»

Connaissance et vérité sont deux concepts solidaires, mais aussi très différents. Que toute connaissance soit relative, cela ne signifie pas que les connaissances se valent toutes: les théories héliocentriques de Copernic et de Newton en astronomie sont plus proches de la *vérité*, c'est-à-dire de la *réalité* que celles, géocentriques, d'Aristote et de Ptolémée. L'histoire des sciences confirme le progrès réel des connaissances humaines. Cela confirme aussi qu'il y a une différence entre science et connaissance. Connaître mon quartier et mes voisins relève de perceptions qui constituent déjà un savoir même vague et qui s'approche d'une vérité dite empirique, mais non scientifique. Connaître par hypothèses et expérimentations est un autre type de savoir qu'on appelle science. Mais il est possible, malgré le caractère méthodique, que l'on découvre un jour que ces vérités même dites scientifiques ne soient pas tout à fait conformes à la réalité.

Nos connaissances sont toujours relatives, partielles, provisoires, temporelles, alors que la vérité est éternelle et absolue. Cette affirmation, qui choquerait les sceptiques purs et durs, mérite une explication.

Toute connaissance est relativement subjective, mais aucune vérité digne d'être appelée ainsi ne l'est. Et encore là, quand je dis «subjectif» cela dépend du philosophe qui parle. La vérité, disait Aristote, est l'adéquation de la pensée et de l'être ou la conformité de l'idée (représentation mentale) avec l'essence de la chose réelle. Le logos humain dans son ordre logique est capable de saisir l'intelligibilité du cosmos dans son ordre naturel. C'est un idéal: arriver à faire coïncider la pensée avec son objet, le réel,

2. D. Hume, *Traité de la nature humaine*, Paris, Aubier, 1965, p. 561.

au point de pouvoir dire, voilà, je peux connaître le monde tel qu'il est, le connaître objectivement, puisque ma pensée se règle sur l'objet connu en en captant l'essence par la production intellectuelle du concept (l'idée). L'idée mentale et l'essence réelle : même logos, même ordre, même cosmos. La coïncidence de l'idée et de l'essence, c'est la vérité. Cela est la vision épistémologique (très sommaire) de la connaissance et de la vérité selon Aristote. C'est son interprétation de la connaissance humaine capable, pour lui, d'universalité, donc de scientificité ou d'objectivité ou de très haute probabilité comme on le dirait aujourd'hui.

Mais dans les faits et surtout depuis Kant, l'identification de l'être et de la connaissance nous est interdite, car l'objet de la connaissance est construit, et cet objet n'est pas la réalité en soi, ni l'être tel qu'il est, ni l'essence de la chose. Pour Kant, il n'y a pas de conformité entre l'idée et l'essence, car il n'y a pas d'essence ou, si l'on veut, l'essence n'est pas extraite ou abstraite de l'objet réel, elle est une construction conceptuelle : l'essence est une idée construite par la raison. Contrairement au réalisme* d'Aristote (pour qui l'idée ou l'essence vient du réel), ce n'est pas la pensée, chez Kant, qui se conforme aux essences de la réalité, mais c'est le réel ou ce que j'en perçois qui se règle sur la pensée. Si vous me permettez une image tirée de l'astronomie, chez Aristote, c'est la pensée humaine qui, gravitant autour du réel, l'observe et en enregistre les essences ou les identités (ce que sont les choses) ; chez Kant, au contraire, c'est le réel qui, gravitant autour du sujet, est «filtré» par les catégories de la raison et de la sensibilité humaine. C'est la fameuse *révolution copernicienne en épistémologie* de l'aveu de Kant lui-même. Pour lui, donc, je (sujet) ne connais le réel (objet) qu'à travers la perception que j'en ai. Une autre métaphore : pour Aristote, la connaissance humaine fonctionne comme une «enregistreuse» du réel et le monde peut être, ainsi, connu *tel qu'il est*. Pour Kant, dont l'entendement agit un peu comme un «filet», le réel est «filtré» et, alors, le monde réel ne peut être saisi tel qu'il est en soi, mais *tel que l'homme le perçoit*. Le monde tel qu'il m'apparaît est le monde des phénomènes ; le monde tel qu'il est en soi m'échappe ; je peux toujours le concevoir, mais pas l'expliquer : c'est le monde des noumènes. Par exemple, les noumènes tels Dieu, l'âme immortelle, la liberté se conçoivent, mais leur explication ou démonstration sont impossibles. Pour Kant, il existe un monde, une réalité à jamais cachée et même inaccessible. Malgré l'amélioration de ses capacités à connaître par le progrès des méthodes et des technologies, il restera toujours à l'homme une réalité infinie qui échappera à sa connaissance rationnelle ; restera toujours une vérité qui ne coïncidera pas avec les connaissances humaines. Le réel reste voilé ou lointain, nous n'avons pas de contact absolu avec l'absolu[3].

Est-ce à dire qu'il n'y a plus de vérité, qu'il n'y a rien de vrai ? Non, car si rien n'était vrai, il ne serait pas vrai que « rien n'est vrai ». Si je dis que « tout est faux », est-ce que je dis vrai ? La logique même m'interdit d'affirmer que rien n'est vrai ou que tout est faux. Mais un sceptique me répondrait : « La logique n'est qu'une référence humaine, donc relative... »

De nos jours, on n'a jamais connu autant et on n'a jamais été aussi lucide sur les limites de la connaissance. Dans l'histoire de l'humanité, le présent du savoir est et sera toujours celui où les connaissances humaines sont et seront les plus étendues ; c'est ce qu'on appelle le « progrès de la science », progrès de la connaissance.

Il y a de la vérité puisqu'il y a de la connaissance, mais la connaissance n'est pas la vérité. Toute la vérité. On peut dire d'une connaissance qu'elle est vraie, mais cela ne veut pas dire qu'on peut la prendre pour la vérité même. La vérité de l'être et la vérité du discours sont deux choses différentes. La vérité d'un côté, telle

---

3. Chez les sages orientaux, on trouve une conception originale, non duelle, de la véritable connaissance qui est une *rencontre* mystique : connaître absolument, c'est voir. Voir, c'est saisir le Tout ou la Totalité de ce qui Est. Cette connaissance ou *vision juste* correspondrait à l'*intuition* chez certains philosophes occidentaux tels Descartes, Spinoza, Bergson... Chez Kant, c'est la Foi qui prend le relais de la raison.

qu'elle est en soi et, nous, êtres connaissants, de l'autre. Était-il vrai que la terre tournait autour du soleil avant que quiconque en ait eu la connaissance ? Les vérités que l'on ignore ne sont pas moins vraies que celles que l'on connaît.

La vérité est là, comme la réalité, même si on ne la connaît pas, même si on garde le silence, même si on dort, même si on meurt. Ce n'est pas qu'une communication humaine et encore moins une opinion. « À chacun sa vérité » n'est que bavardage. La vérité est silencieuse. Mais nous, êtres connaissants, sommes du réel, donc de la vérité. Et nos pensées, réelles aussi, sont de la vérité. La vérité n'est pas le double de la réalité, c'est la réalité elle-même, non pas telle qu'elle apparaît, mais telle qu'elle est. La vérité, c'est la réalité elle-même dans sa totalité. La vérité, pour l'homme, n'est pas une invention, mais bien une découverte progressive du réel par la connaissance (scientifique ou non) qui est loin d'être parfaite.

Certains philosophes n'osent pas cette simplification ou cette clarté de la vérité que je laisse voir, ce sont peut-être ceux-là qui nous perdent dans leur capharnaüm d'idées parfumées, tout en haut de leur tour d'ivoire ?

Vérité et éternité

Si la vérité n'était que dans la représentation de chacun, comment distinguerions-nous la vérité du fantasme ? Pour connaître, il faut qu'il existe des faits, c'est-à-dire du réel indépendamment des représentations que l'on en a ou pas. Ces faits sont vrais quand bien même ils n'existent plus réellement. La terre tourne autour du soleil : ce fait est vrai et était vrai avant qu'on le découvre et ce fait restera vrai pour l'éternité même quand la terre ne tournera plus autour du soleil et qu'ils n'existeront plus, dans cinq milliards d'années. Que reste-t-il de la vérité quand l'être (le réel) n'est plus ? Ou quand le réel change ? Réponse : l'être change, mais la vérité reste. L'assassinat de Jules César est un fait réel au moment où il survient et reste un fait vrai, même si c'est un fait passé et ce fait restera vrai pour toujours. Cette position philosophique est celle d'un matérialiste. « La vérité reste toujours présente, quand bien même elle est la vérité d'un présent qui n'est plus » (André Comte-Sponville). La vérité est éternelle, car un fait est un fait, donc réel ou vrai indépendamment du temps. L'éternité, c'est ce qui est en dehors du temps. Est éternel non pas ce qui ne finit plus, mais ce qui ne dure pas. La vérité ne dure pas, elle est ; elle est de l'ordre du présent comme l'éternité. Le discours humain tient compte de cela dans sa manière de conjuguer le verbe ; c'est pourquoi « être vrai » n'a de sens qu'au présent. Dire « c'était vrai » si cela ne l'est plus au présent, cela veut dire que cela ne l'était pas et ne l'a jamais été.

Vérité et valeur

Traditionnellement, la majorité des philosophes ont associé le Vrai et le Bien. Chez Platon, le Bien irradie comme un Dieu ou une lumière. Il est le Vrai, le Juste, etc. Le Bien ne devrait-il pas être en même temps le Vrai et inversement ? Chez Aristote, Dieu — Pensée pure — est à la fois le Vrai et le Bien, le suprême intelligible et le suprême désirable, objet de contemplation et d'amour. Dans la tradition chrétienne, on retrouve la même équation, le Bien, le Vrai, l'Un, l'Être et Dieu sont identiques : le vrai Dieu et le bon Dieu, c'est le seul Dieu.

Dans ces conditions, connaître et aimer sont deux activités humaines indissociables. Connaître Dieu et l'aimer, c'est la même chose : connaître la Vérité ou l'Être, c'est l'aimer. Connaître le Bien, c'est l'aimer. Le Bien est aimable en soi.

Spinoza dont je vous disais qu'il était d'une étonnante modernité, vient renverser cette vision de la valeur et de la vérité : « Ce n'est pas parce qu'une chose est bonne que nous la désirons ou l'aimons, mais c'est plutôt parce que nous l'aimons ou la désirons que nous la jugeons bonne. » Le bien n'existe pas en soi, il n'existe que par mon désir ou mon amour. Mon amour ou mon désir génère le bien et le désirable. Le bien n'est pas aimable en soi, il ne l'est que par mon amour. Si je désire cette femme, ce n'est pas parce qu'elle est belle ou bonne en soi, mais je la trouve belle ou bonne parce que je la désire. Ce qui vaut, c'est ce que je désire, ce que je veux, ce que j'aime; ce qui vaut, c'est ce qui est désiré. Nos jugements de valeur ne relèvent pas de la connaissance, mais du désir. Une réalité quelle qu'elle soit n'a pas besoin d'un autre humain pour *être* mais a besoin d'un désir humain pour *valoir*. Il en est ainsi de la vérité: la vérité n'a pas besoin de nous pour être vraie, mais elle a besoin de nous, de nos désirs, pour valoir.

C'est le désir qui devient le repère de tout ce qui vaut pour soi. Rien ne vaut en soi, mais toute chose ne vaut que par le désir que je lui manifeste. C'est le désir qui rend le réel aimable. Le désir est le fondement de la valeur et il n'y a pas de valeur en soi. Toute réalité est neutre. Ce qui est réel n'est ni bon ni mauvais, ni beau ni laid s'il n'y a aucun désir pour l'évaluer. Ainsi pour la vérité: elle est ce qu'elle est, elle est indifférente à tout. Elle ne vaut rien en soi, mais ne vaut que si on l'aime. Comme toute réalité. Or, le philosophe aime beaucoup la vérité; c'est pourquoi elle est pour lui d'une grande valeur.

«À chacun sa vérité» veut simplement dire qu'il y a des vérités que l'on désire plus que d'autres, donc qui valent pour un sujet désirant plus que pour d'autres sujets. L'expression ne signifie pas que la vérité est subjective ou relative à chaque sujet, mais que sa valeur l'est. Elle ne nous dit rien sur la vérité, mais simplement sur le désir de l'individu et plus particulièrement sur l'éducation ou l'apprentissage qu'il a connu; car un désir est toujours un désir éduqué, conditionné, influencé ou manipulé.

En effet, un désir n'est pas désincarné, il n'agit pas comme une volonté spirituelle libre ou libérée des nécessités du corps et comme indépendante de la matérialité du monde; je veux dire que le désir est travaillé par les pulsions, que le désir est éduqué par les apprentissages et les conditionnements. Non seulement le désir est-il incarné, donc enraciné dans mon histoire personnelle, mais, de plus, il est opérationnel: il agit. Ainsi, quand une chose devient aimable ou valable parce qu'elle correspond à mon désir, je veux du bien à cette chose et je porte tout mon être vers cette chose qui acquiert de la valeur à mes yeux. J'aime. Je ressens une joie à l'idée que cette chose existe puisque mon désir me la rend aimable et la joie est d'autant plus forte que je m'y engage physiquement, psychiquement, intellectuellement, spirituellement... Je désire la justice, j'aime la justice, la justice est une valeur pour moi, je pratique donc la justice, j'essaie d'être juste. Je désire cette femme, j'aime cette femme, je veux du bien à cette femme, je vis avec cette femme. Je désire une voiture, j'aime cette voiture, je l'achète. Pourquoi la justice ? Pourquoi cette femme ? Pourquoi une voiture ? Parce que je désire. Mais pourquoi ce désir ? Parce que j'ai été éduqué, influencé, conditionné, déterminé. Le désir n'est pas neutre ni innocent. On ne désire pas les mêmes objets selon que l'on soit d'un siècle ou d'un autre ou que l'on soit d'une culture ou d'une autre. Personne n'a choisi son lieu ni son temps de naissance, personne n'a choisi son éducation ni ses valeurs.

Pour mes grands-parents, la valeur la plus importante était le salut éternel de leur âme ; c'est ce qu'ils désiraient le plus profondément et leur agir en était forcément déterminé. Ils pratiquaient certaines vertus avec ferveur croyant qu'elles constituaient le bien ou, en tout cas, le meilleur moyen qui les acheminerait vers leur fin : le paradis éternel. Leurs valeurs dépendaient de leur désir et celui-ci de leur éducation. Les enfants nés en 1980 n'ont pas les mêmes valeurs parce qu'ils n'ont pas les mêmes désirs n'ayant pas subi les mêmes conditionnements : ils ne désirent plus le ciel pour leur âme ni même les vertus qui y mènent, mais du travail pour un salaire et un salaire pour une foule de choses. Les temps changent et les désirs aussi. On ne désire plus le ciel, mais voiture, vêtements à la mode, partenaire *in*, équipements de sport, moyens de communication rapides, gadgets ultra technos, tout ce qui se vend... Bref, les désirs d'aujourd'hui sont travaillés, façonnés, dressés par une nouvelle éducation à forte teneur consommatoire et manipulés par une propagande publicitaire super efficace. C'est pourquoi tous désirent un pouvoir d'achat proportionnel à leurs désirs ; tout ce qui s'achète a de la valeur, tout ce qui se vend vaut, tout ce qui est marchandise ou marchandisable devient valeur, devient « objet de désir ». À traverser un centre commercial, on se rend vite compte que ce ne sont pas les valeurs qui manquent dans nos sociétés, sauf qu'elles ont toutes un prix, elles sont toutes économiques. Le festival de jazz, le défilé des homosexuels, le grand prix de formule un, les grands rassemblements de protestations politiques ou toutes manifestations sportives, culturelles, sociales ne sont-ils pas évalués en termes de « retombées économiques », c'est-à-dire en termes de valeurs comptables ? Ces valeurs nous sont imposées sans que l'on prenne le temps et sans qu'on saisisse l'occasion d'en discuter ni d'y réfléchir. On nous dit : faites-nous confiance, tout ira bien et vous serez heureux ! On y croit. On désire cela comme nos grands-parents désiraient et espéraient le paradis après leur mort tel qu'on leur disait. Les prêcheurs ont changé, leur efficacité aussi, mais les désirs sont toujours à l'écoute.

Ainsi les valeurs dépendent du désir, elles dépendent aussi de l'éducation ou des conditionnements du désir. Crise de valeurs, crise de désirs. Crise de valeurs, crise de conditionnements. Crise de générations, puisque nous sommes éduqués et conditionnés différemment selon que l'on soit du début ou de la fin du vingtième siècle et ainsi de suite.

À chacun sa vérité, non ; mais à chacun ses valeurs, oui ; sauf que chacun n'est pas une entité en l'air, mais bien un désir historiquement conditionné. Je suis le désir incarné… depuis ma naissance et ce dans de multiples conditions contingentes qui me déterminent.

La philosophie se définit comme un amour de la vérité. Pourquoi amour de la vérité ? Est-ce que la vérité est aimable ? En soi, non, avons-nous dit. La vérité, c'est le réel et le réel est neutre, insensible, ni bien ni mal, ni beau ni laid, il ne nous connaît ni ne nous aime. Si l'on aime la vérité, la vérité, elle, ne nous aime pas.

Si le réel est Dieu, celui-ci ne nous aime pas. Comme le Dieu de Spinoza qui est Nature, l'univers est clairement indifférent à nos désirs ; le Dieu de Spinoza n'est pas le Dieu des chrétiens, c'est-à-dire un Dieu personnel, il n'est que réalité ou vérité ; or, la nature, le réel ou le vrai n'a que faire de nos espérances et de nos craintes. N'allons pas faire de la vérité une idole qui ferait nos quatre volontés. Ni un Père qui nous protégerait. Protégerait de quoi ? La mort ? La mort est réelle. La souffrance ? C'est réel aussi. Que peut la vérité contre le réel puisqu'elle est ce réel même.

Faut-il aimer ou renoncer à aimer la vérité ? Penser, c'est aimer la vérité, mais ce n'est pas exiger de la vérité qu'elle soit amour. L'amour est une joie et la vérité n'est joyeuse que pour qui l'aime ou qui aime la connaître, c'est-à-dire comprendre le réel. Connaître n'est pas aimer, mais l'amour peut naître et se parfaire par la connaissance ; la connaissance peut mener à l'amour et l'amour stimuler la connaissance. Chez le philosophe, connaître et aimer sont du même désir et, de ce fait, de la même ferveur. Je peux connaître une chose sans l'aimer, mais je ne peux aimer une chose sans vouloir la connaître mieux. Pourquoi dissocier dans notre vie la connaissance et l'amour ? Pourquoi sommes-nous enclins à déléguer la fonction de connaître à des experts, alors qu'il ne nous viendrait jamais à l'esprit l'idée de déléguer à des experts la fonction d'aimer à notre place ?

Se convaincre qu'« à chacun sa vérité » est vrai, c'est accepter que la vérité soit plus une affaire d'amour que de connaissance ; or, pour le philosophe, c'est trahir sa ferveur, son amour pour la connaissance et finalement pour la vérité.

SUGGESTIONS DE LECTURE

André Comte-Sponville, *Valeur et vérité*, Paris, PUF, 1994. Avec toute la clarté qu'on lui connaît, l'auteur nous présente le problème de la vérité et ses solutions dignes de la tradition et de la modernité occidentales.

Marc-Aurèle, *Pensées pour moi-même*, Paris, Garnier-Flammarion, 1992. Le philosophe stoïcien le plus connu. Il résume toute l'école, Épictète son «maître» n'ayant rien écrit. Il a beaucoup à dire sur tout. Étonnant d'actualité. La vérité ne vieillit pas.

Friedrich Nietzsche, *Par-delà le bien et le mal*, Paris, Aubier, 1965. Le philosophe dérangeant par excellence qui passe dans le malaxeur de ses aphorismes les notions clés de la philosophie, notamment la vérité, le bien et les valeurs.

Laurent-Michel Vacher, Jean-Claude Martin et Marie-José Daoust, *Débats philosophiques, une initiation*, Montréal, Liber, 2002. La valeur de notre raison, l'évaluation de notre connaissance du réel, le relativisme des valeurs, voilà des problèmes philosophiques «classiques» débattus avec originalité et clarté. Un stimulant pour qui s'y aventure.

http://www.sosphilo.com/perspective/verite/ver_2.htm Un site qui met les notions en perspective et contient une multitude de références à d'autres notions, textes, écoles, filiations et philosophes.

CHAPITRE 8
Plus ça change, plus c'est pareil

« Il n'y a rien de nouveau sous le soleil. » « C'est dans la nature humaine ! » « Depuis que le monde est monde. » « Chassez le naturel, il revient au galop. » « Les choses sont ce qu'elles sont... » Des lieux communs qui affirment le principe d'identité (ou de stabilité) contre celui du changement (ou de la contradiction). Qui affirment des distinctions absolues et des valeurs éternelles. Qui évacuent le réel changement, la critique fondamentale et les voies de rechange. À qui ces vieux dogmes métaphysiques profitent-ils encore?

Voilà un très vieux cliché métaphysique qui se perd dans la nuit des temps. On le rencontre aussi bien dans l'Ancien Testament que dans l'enseignement d'Aristote. «Plus ça change, plus c'est pareil» exprime un certain dépit face aux difficultés voire à l'impossibilité de faire changer les choses qui souvent nous impliquent personnellement. Exprime, aussi, un certain accommodement devant ce qui advient ; les êtres humains s'accrochent à la rassurante stabilité et plusieurs locutions devenues proverbes ou maximes de sagesse rendent compte de ce besoin de permanence que l'on cherche ou souhaite tant. Ces locutions sont interprétées positivement par les conservateurs de tout temps et de tout lieu pour qui la tradition reste le meilleur guide dans un monde imparfait rempli d'erreurs, d'illusions et de modes trompeuses. Pour les plus progressistes, ce conservatisme qui est interprété comme une attitude de peur face aux changements est qualifié de «réaction» car il empêche les réformes : «Le réactionnaire se soucie de préparer un futur qui soit identique au passé» (Sartre).

La logique formelle ou la métaphysique à la rescousse du pouvoir établi

Aristote n'est pas mort dans notre mentalité ; sa logique formelle travaille encore le discours dominant comme elle a influencé la philosophie chrétienne du Moyen Âge. Nous sommes des aristotéliciens qui s'ignorent.

Le premier principe de sa métaphysique [1] affirme simplement que les choses sont ce qu'elles sont : «l'être est ce qu'il est». Dans sa logique, ce principe d'*identité* est premier. C'est aussi un principe de *stabilité* : pour lui, ce n'est pas l'*existence* de la chose qui a de l'importance, mais son *essence*, c'est-à-dire sa nature, sa définition, sa détermination, sa forme (*morphè*, *eidos*), ce par quoi on la connaît, bref, son identité sans laquelle on ne pourrait concevoir, nommer, ou définir une chose. Et cette essence ne change jamais ; elle est universelle, nécessaire et stable. Les hommes dans leur existence individuelle, sensible et contingente changent, mais l'homme ou l'essence de l'homme, «animal raisonnable», ne

1. Les termes «métaphysique» et «ontologie» utilisés ici ne sont pas d'Aristote. «Logique», oui : «On l'appelle *formelle* ou *classique* : discipline s'attachant à l'étude des principes généraux d'une pensée valide, c'est-à-dire valable et devant être admise aussi par d'autres ; elle est formelle parce qu'elle envisage concepts, jugements et raisonnements en faisant abstraction du contenu et de la matière. Cette logique est *bivalente* : tout énoncé est ou vrai ou non vrai» (J. Russ, *Dictionnaire de philosophie*, Paris, Bordas, 1991).

change pas ; c'est universel, applicable à tous les hommes et c'est éternel. Le principe d'identité est à la fois logique et ontologique. Il permet de bien penser, de penser logiquement d'une part, et aide, d'autre part, à saisir ou comprendre la réalité ou l'être des choses (en tant qu'elles sont) dans leur essence. Ce principe d'identité dans son utilisation est simplificateur parce qu'il fixe une fois pour toutes la réalité des choses : « c'est dans la nature de l'homme d'agir ainsi »... De ce postulat, on a construit des stéréotypes opérationnels qui déterminent les mentalités sociales : « criminel un jour, criminel toujours », « l'homme est rationnel, la femme est sensible », « tel père, tel fils », « les affaires sont les affaires »... Des modèles sociaux sont ainsi élaborés et diffusés pour permettre une identification simpliste, un conformisme rassurant.

Ce principe d'identité devient un principe de *distinction*. C'est un principe qui, dans l'abstrait, ne se préoccupe pas des liens multiples des réalités concrètes entre elles et avec l'ensemble ; appliqué formellement dans son sens extrême par certaines idéologies sociales, il n'admet pas les relations entre les choses. La poésie, c'est de la poésie, pas de la politique ! Je me souviens que Pierre Elliott Trudeau, alors premier ministre du Canada, avait dit du poète Gilles Vigneault, qui s'intéressait de manière engagée à la souveraineté du Québec : « Vigneault est un poète ; qu'il fasse de la poésie, pas de politique et ainsi la politique comme la poésie vont mieux s'en porter. » Trudeau faisait, sans le savoir, de la logique formelle ou de la métaphysique aristotélicienne dans sa forme la plus simplificatrice, et c'est cette forme qui prévaut, trop souvent, dans la mentalité sociale la plus répandue. On accepte mal qu'un spécialiste en obstétrique s'engage dans un mouvement de contestation sociale ; on n'aime pas « mêler les choses » ; on aime les divisions simples « pour comprendre simple ». Einstein était contre l'utilisation militaire de l'énergie atomique ; on lui faisait remarquer qu'un savant, ça s'occupe de science ; « la science, c'est la science ; la morale, c'est la morale ». On a donc une propension à isoler, à distinguer : par la tâche ou la fonction, les possessions ou la richesse, le statut civil, les origines, l'ethnie...

Ainsi, les réalités, via leur conceptualisation, sont isolées les unes des autres. Ce qui n'est pas sans effets indésirables…

On pousse parfois les distinctions jusqu'à l'absolu. Le bien, c'est le Bien, le mal, c'est le Mal. On est d'un côté ou de l'autre : « Ceux qui ne sont pas avec nous, sont contre nous », dit-on encore au vingt et unième siècle. Exactement comme au Moyen Âge, on avait ce penchant pour l'exclusion des sémites et des infidèles : « Hors de l'Église, point de salut. » On est du côté de la Vérité ou on est dans l'erreur ! Comme la vie, c'est la vie, la mort, c'est la mort. Pas de confusion. C'est pas compliqué ! Pour certains métaphysiciens conservateurs ou autres traditionalistes, il existe des valeurs absolues découlant de la réalité humaine ou mieux de la *nature* (ou de l'essence) humaine. Ces valeurs ne sont donc pas relatives à une époque, à une culture ou à des désirs individuels ; elles sont transcendantes, anhistoriques, éternelles. Fondamentales et stables parce que fondées sur une nature permanente, elles traversent le temps toujours identiques à elles-mêmes et, de ce fait, doivent être respectées absolument et perpétuellement.

Ces valeurs ne sont pas toujours également défendues par les « humanistes patentés », mais le dogmatisme qui en découle est caractéristique de leur attitude. Par exemple, certains vont insister sur la « liberté », d'autres sur la « suprématie de la raison », d'autres sur la « subjectivité » ou sur l'individu qui surpasse en valeur la société. Ce qu'il importe de constater ici, c'est l'affirmation d'une universalité ou d'une absoluité de certaines valeurs prises pour (ou confondues avec) des vérités éternelles. Pourquoi ? C'est qu'à la base, il y a une conviction métaphysique : « Les choses sont ce qu'elles sont. » Éternellement.

Si l'on pousse cette pensée jusqu'au bout de sa logique, on favorisera un ordre politique stabilisateur afin que les citoyens bien organisés et disciplinés respectent et préservent les valeurs « naturelles », « essentielles » et fondamentales, telles la famille, la loi, la patrie, la religion, la propreté et la propriété privée… À cette fin, il convient que l'autorité légitime soit solidement établie et que son respect soit imposé avec sagesse et fermeté. Le pouvoir devrait être confié de préférence aux meilleurs, c'est-à-dire à une élite éprouvée, appartenant à la classe politique formée selon les traditions les plus exigeantes. Selon les bonnes écoles, les plus sélectives, les plus riches.

Autre conséquence de ce principe de distinction: le foisonnement des disciplines super spécialisées dans les savoirs contemporains. Dans l'évolution des sciences, la logique analytique du principe de séparation des matières scientifiques a donné des effets positifs, soit, mais pour combien de temps? Chaque réalité est isolée en objet de connaissances spécialisées comme, par exemple: en quel nombre de spécialités se divise aujourd'hui la biologie? Embryologie, génétique, virologie, cytologie, histologie, etc. C'est efficace, indéniablement, mais tôt ou tard une synthèse s'imposera si ce n'est que pour savoir où l'on en est rendu dans ce fouillis et comment tirer de nos connaissances une action éthique convenable relative à ce qu'on sait et à ce qu'on peut. Mais la mentalité métaphysique formelle et abstraite ne fait pas ou n'ose pas ou ne peut pas faire cette synthèse concrète qui impliquerait, sans doute, thèses et antithèses, donc conflits et contradictions dont elle a horreur. Pour cette synthèse, peut-être faudra-t-il avoir recours, un jour, à la cybernétique?

Un corollaire logique à ce principe d'identité qui en est aussi un de distinction, est le principe de *non contradiction*: les contraires s'opposent et s'excluent. «Il n'est pas possible qu'il y ait aucun intermédiaire entre des énoncées contradictoires: il faut nécessairement affirmer ou nier» (Aristote). Entre deux possibilités différentes, il n'y a pas de place pour une troisième; ce qu'on appelle aussi le principe du *tiers exclu*.

C'est logique. Mais est-ce la réalité? Pour une vision abstraite ou métaphysique des choses, la contradiction est inacceptable parce que logiquement incohérente, conflictuelle et désordonnée. La logique ne doit pas comporter de contradictions. Mais la réalité connue? L'aristotélicien répondrait: Non plus! Elle ne doit pas comporter de contraires, elle ne doit pas laisser voir de structure contradictoire, donc, on exclut ce qui est en contradiction avec la réalité établie, connue et, si on y rencontre une contradiction, c'est qu'on a une mauvaise méthode, c'est que l'on s'est trompé. Il n'y a que les imbéciles qui se contredisent : on ne peut pas être à la fois mort et vivant. Dans le monde stable et formel des essences abstraites, le vivant est vivant et le mort est mort, mais jamais les deux à la fois. La logique formelle a horreur de la contradiction qui est une erreur de la pensée comme la métaphysique idéaliste a horreur du changement, du conflit donc de la progression. « Par quoi allons-nous remplacer le système actuel ? » entendons-nous parfois de la bouche des rhétoriciens du conservatisme ? « Il n'y a pas mille solutions. » « Le marché, c'est le marché ! » Penser que « les choses sont ce qu'elles sont et qu'elles ne changent pas dans leur nature », cela profite à ceux qui sont en possession d'un pouvoir et qui veulent le conserver dans la stabilité de l'ordre et la soumission aux lois éternelles.

La logique dialectique ou la pensée matérialiste à la rescousse de la critique

En réalité tout est changeant. Le réel est un devenir dialectique ou mieux un enchevêtrement de processus qui sont en relations multiples et même en contradiction les uns avec les autres et qui se modifient dans le temps et dans l'espace. Les choses ne sont pas perpétuellement ce qu'elles sont, les choses deviennent autres que ce qu'elles sont. L'être est un devenir. Tout ce qui est devient. Il n'y a rien de permanent. Tout se meut, même ce qui semble le plus stable. Tout se transforme. C'est donc faire preuve de pensée métaphysique fixiste que de vouloir les saisir et les retenir dans ce qu'elles ont d'essentiel, de stable et d'éternel ; et c'est penser dynamiquement que de vouloir les saisir dans leur évolution et leur changement. Toutes ces affirmations sont aussi des lieux communs. Elles ont traversé les siècles en filigrane dans nos mœurs conservatrices ; elles ont, aussi, alimenté les dissidences et les rébellions. Il ne faut pas oublier ces oscillations du pendule de l'histoire. Malgré ou à cause de cela, nous sommes massivement habitués à penser selon des principes stables, selon une netteté distinctive et surtout sans contradiction ; la cohérence, même abstraite, même «arrangée» fait partie de nos penchants intellectuels. C'est pourquoi, il est bon pour tout apprentissage philosophique de considérer d'autres principes logiques, une autre manière moins habituelle de penser qui pourrait nous rapprocher, cependant, de la réalité concrète. Voyons voir.

Le principe de base de la dialectique est celui de la contradiction. Toute réalité est la synthèse de deux contraires : la thèse et l'antithèse, dirait Hegel ; le positif et le négatif, le haut et le bas, la vie et la mort... Partout les choses se transforment en leurs contraires et l'évolution est une lutte de forces antagonistes ou un processus de destruction et de naissance qui fait que tout est conflictuel, donc, changeant. La physique moderne, science exacte, qui a supplanté, heureusement, la vieille métaphysique de la nature, a compris que tout est relatif et que toute réalité dans ses forces nucléaires, électromagnétiques et gravitationnelles cherche la stabilité impossible : tout change, voilà l'absolu. Hubert Reeves dans *Patience dans l'azur* explique bien que la quête de la stabilité dans la nature est une utopie. Que la nature est, dans sa profonde intimité, en constante transformation.

Chaque être est à chaque instant le même et pourtant un autre, c'est ce qui fait qu'il évolue, qu'il change. C'est le deuxième principe de la dialectique ou la loi du changement : «tout change», rien ne reste là où il est, rien ne demeure ce qu'il est. Penser en termes dialectiques, c'est se placer du point de vue du changement et du mouvement. Il n'y a rien au monde qui est fixé ou qui puisse être fixé dans un état définitif. Tout est processus. Le taoïsme est révélateur de ce principe dialectique puisqu'il voit dans la nature des forces régulatrices immanentes dont le tao est l'expression suprême : l'énergie du yin et du yang.

Enfin, tout est interrelié ou interdépendant et c'est le principe de la réciprocité ou de la relativité qui s'exprime dans cette locution : «tout influe sur tout». Les choses ou les processus ne sont pas isolés les uns les autres. Chaque être particulier se rattache à un ensemble, chaque partie à une totalité ; et chaque totalité est partie d'un autre ensemble. Il n'y a rien d'absolu. Tout est relatif. Et dans le temps, tout est progressif. Tout dépassement d'un présent est aussi une récupération du passé: il n'y a rien d'absolument nouveau ni d'absolument ancien ; toute nouveauté est l'effet d'un processus antérieur ; il y a du passé dans le présent et le présent est fait de nouveauté par rapport à hier. L'histoire laisse des traces et progresse, mais ne fait pas du surplace ; l'histoire comme tout devenir n'est pas un cercle vicieux, mais une spirale. La philosophie chinoise est prolixe à cet égard et le *Tao te king* de Lao-Tseu (le livre chinois le plus traduit en langues occidentales) apporte des évocations poétiques de l'évolution de la nature et de l'homme en société. « Tout le monde tient le bien pour le bien, c'est en cela que réside le mal. » « Ce qui est incomplet devient entier… »

« Plus ça change, plus c'est pareil » est une bonne illustration d'un principe logique d'identité et d'un parti pris métaphysique qui postule la stabilité du réel. Or, la réalité est vivante, changeante, conflictuelle, contradictoire parce qu'elle est en processus constant. Il y a toujours quelque chose de nouveau sous le soleil. Tout dans la nature et dans l'homme change, se transforme et étonne. Tout est en devenir.

Plus ça change, moins c'est pareil ! Et pourtant…

Tout le monde sait cela. Ou à peu près. Sauf qu'on ne fait que le savoir abstraitement sans en percevoir dans sa sensibilité et sa vie quotidienne les exigences, les puissances et les bienfaits. On sait que tout est relatif, mais on s'en tient à l'absolu de nos automatismes.

SUGGESTIONS DE LECTURE

Louis Althusser, *Pour Marx*, Paris, Maspero, 1965. Une interprétation de Marx qui aura eu une influence considérable en philosophie et qui ne vieillit pas puisqu'elle permet, encore, une analyse intéressante de toute pratique sociale.

Lucrèce, *De la nature des choses*, Paris, Garnier-Flammarion, 1964. Le plus important penseur épicurien et l'un des grands représentants du matérialisme antique. Il conteste la stabilité du réel. Une poésie philosophique dont on ne se lasse pas.

Michel Onfray, *Politique du rebelle*, Paris, Grasset, 1997. « Ou le traité de résistance et d'insoumission. » La position politique d'un jeune philosophe hédoniste de gauche, matérialiste, nietzschéen et délibérément provocant. Un livre qui étonne et qui enchante par son idéal.

Georges Politzer, *Principes élémentaires de philosophie*, Paris, Éditions sociales, 1970. Les notes de cours d'un des fondateurs de l'Université populaire en France. Une pensée « matérialiste dialectique » simplifiée pour débutant.

Hubert Reeves, *Poussières d'étoiles*, Paris, Seuil, 1984. Comme dans tous ses livres, l'astrophysicien nous fait comprendre qu'Héraclite avait raison : tout change, tout se transforme malgré les désirs humains, malgré les lieux communs.

http://perso.wanadoo.fr/marxiens/philo/hegel/dialecti.htm Un long article qui fouille la méthode dialectique sous toutes ses coutures de Marx à Lacan. Mais un « clic » bien placé nous mène à l'aventure.

CHAPITRE 9
Il faut être positif

Nous vivons dans une société dont la mentalité ou la culture obligent à penser de manière positive, la pensée négative, la critique, étant disqualifiée. N'est-ce pas une forme de totalitarisme intellectuel? Ne plus penser, cesser d'être lucide. Une soumission à un discours clos, une mise en échec de la logique de la contradiction, une logique de domination, un triomphe de la pensée unidimensionnelle.

Je ne cacherai pas que j'exècre au plus haut point cette locution, très actuelle et très courante, selon laquelle «il faut être positif», souvent traduite en impératif «sois positif ! ». Elle est une outrance d'un conservatisme étroit extrêmement répandu. C'est une expression qui frôle la fanfaronnade ou la provocation, mais qui, pourtant, est acceptée et applaudie par la majorité comme une évidence fonctionnelle — pour ne pas dire positive — malgré son double fond de culpabilisation. En ce sens, elle est pernicieuse plus que toutes les autres. Je propose donc ici un réquisitoire singulièrement fougueux, qui prolonge d'ailleurs les idées exprimées dans le chapitre précédent et les radicalise. Mais rapprochons-nous de ce lieu commun contemporain.

Depuis toujours les paysans ont été sceptiques, sinon pessimistes, quant aux résultats de leur travail. Parfois, il a trop plu, parfois pas assez. Le pessimisme ronchonneur du cultivateur est proverbial. Les commerçants, en revanche, ont, eux, toujours paru cultiver un optimisme exagéré et même obligatoire. Pourquoi ?

Les paysans dépendent des fluctuations de la nature, les marchands, non ! Quand un cultivateur voit sa récolte anéantie par la grêle ou la sécheresse, il n'est pas responsable de sa mauvaise fortune ; le commerçant, lui, est généralement responsable des baisses de ses revenus, ou du moins on peut le présenter comme tel. L'initiative du paysan est toujours tributaire des aléas du temps ; l'initiative du commerçant l'est de lui-même. Rien ou presque rien ne dépend de la volonté du cultivateur ; pas étonnant qu'il ait eu, dans ses prières, naturellement, recours à la volonté de Dieu. Alors que tout dépend de la volonté du commerçant : « Quand on veut, on peut ! » Le paysan peut se permettre d'être négatif, son humeur n'ayant aucun effet sur les bontés de la nature ou de la Providence ; le commerçant, au contraire, se voit obligé d'être optimiste puisque tout dépend de son humeur. Il se doit d'être positif ; un vendeur doit toujours avoir une mine super réjouie. Or, aujourd'hui, dans les pays industriellement avancés les cultivateurs ne représentent plus que 5 % de la population active et nous sommes tous devenus un peu vendeurs : on doit croire en sa « propre force intérieure » pour se motiver au travail et devenir, selon le mot à la mode, « proactif ». Dans une société de marchands, tout semble dépendre de son humeur, de la motivation que l'on se donne. Nous vivons dans un monde qui affirme dans son discours social abondamment diffusé : « Si tu te persuades que ta propre volonté est la cause de ton pouvoir, tu n'as qu'à vouloir pour pouvoir. » « On se fait tout seul sans les autres et même contre les autres. » Il semble qu'on soit majoritairement convaincu de cela depuis que l'*homo œconomicus* est devenu la part (trop) importante de l'homme et de la femme.

Pas étonnant que la locution «il faut être positif» soit populaire et bien de notre temps. Et il n'est pas étonnant non plus que croissent depuis un demi-siècle les écoles, les commerces et même des sectes de toutes sortes qui proposent des méthodes de «croissance personnelle» par la «motivologie» et la croyance en sa «force intérieure». Dans les sociétés productivistes, on semble carburer de plus en plus à la pensée ou à la foi positiviste.

Mais qu'en est-il du «positivisme» en philosophie? N'y a-t-il pas déjà une ambigüité quant au terme lui-même?

Positivisme et pensée positive

C'est Auguste Comte qui, au milieu du dix-neuvième siècle, en pleine révolution industrielle, fonda le positivisme*, doctrine selon laquelle la philosophie doit renoncer à la recherche de l'essence des choses (la métaphysique), car la connaissance humaine devrait s'en tenir à la méthode des sciences «positives», c'est-à-dire des sciences qui étudient les faits. D'où l'obligation, pour ce philosophe bien de son époque, de passer, désormais, à une *philosophie positive* qui aurait pour objectif l'élaboration d'une conception scientifique de l'homme ou du phénomène humain. Le positivisme était donc, chez Comte, un optimisme scientiste puisqu'il proposait avec ferveur une science positive ou exacte de l'homme et de la société humaine. Voilà, en gros, en quoi consiste le positivisme philosophique: un dépassement de la philosophie métaphysique vers une science de l'homme. C'est pourquoi, il est justifié de qualifier Auguste Comte de précurseur des sciences humaines telles l'anthropologie ou la sociologie qui n'ont jamais atteint l'exactitude et l'efficacité des sciences exactes de la nature telle la biologie, par exemple, mais qui se sont quand même imposées comme savoirs scientifiques. D'ailleurs, Durkheim, «père de la sociologie» fut, de son propre aveu, influencé par le système de Comte. Mais ce positivisme n'a rien à voir avec le «positivisme» qui circule d'ores et déjà, de la Californie jusqu'à Berlin.

La pensée dite «positive» ou *positivisme vulgaire* prend ses origines surtout dans les psychologies populaires de «croissance personnelle» («Tout le monde est beau», «Je suis le meilleur», «Il faut être positif dans la vie!») lesquelles firent fureur dans les années 1970 et 1980. Ces «motivologies» s'inspirèrent beaucoup de la mode des psychothérapies brèves de l'école de Palo Alto et autres qui pullulaient à cette époque. Ces méthodes thérapeutiques furent conçues, entre autres, pour remplacer la psychanalyse, trop longue et trop chère, et pour procéder, alors, à une réinsertion active plus rapide du patient dans le milieu de travail. Leur efficacité fut telle qu'on utilisa leur logique à l'intérieur de nouvelles théories de management (ou «sciences» de l'administration), dans les techniques de relations humaines («Comment s'adapter au changement» «Comment gérer son stress») et dans l'entraînement des athlètes de compétition (l'élimination du doute, la visualisation de la victoire). Tout ce bric-à-brac utilitariste à l'américaine n'est pas né d'hier.

Bien qu'il soit toujours injuste de cataloguer un philosophe dans quelque école que ce soit, William James et Charles S. Peirce ont, dès la fin du dix-neuvième siècle, contribué à répandre le pragmatisme* dans l'idéologie américaine en général; c'est une doctrine qui propose qu'il faut juger la vérité de nos idées selon leur portée pratique, c'est-à-dire selon la possibilité de les contrôler et de les vérifier dans l'expérience. Si l'on simplifie par de petites maximes très répandues, encore de nos jours, cela pourrait se traduire ainsi: «Est vrai ce qui marche», «La vérité est efficace ou elle n'est pas», «Toute pensée qui ne mène pas vers l'action efficace ne mérite pas d'être retenue». Voilà des formules qui résument leur doctrine[1]. Comme les Américains aiment l'*efficacité*

1. La critique du pragmatisme est multiple, mais je retiens ici la plus simple et la plus courante: «Ce n'est pas parce que ça marche que c'est vrai.» Ce qu'attestent une foule de faits. En effet, l'astronomie géocentrique d'Aristote, malgré sa fausseté, ne permettait-elle pas aux navigateurs de l'époque qui s'y fiaient de parcourir les mers sans se perdre? Celle de Ptolémée, tout aussi erronée, permettait pourtant de prévoir les éclipses;

au point de la confondre avec la *vérité*, ils ont adopté presque naturellement cette idéologie. Et comme ils ont, aujourd'hui, beaucoup de pouvoir, il n'est pas étonnant que certains mots (positivisme, matérialisme, critique, humanisme, bien, mal) prennent, un peu partout, le sens qu'*eux* leur donnent.

De plus, la pensée dite positive, dans sa version américaine, se veut l'adversaire acharné de la pensée critique qu'elle amalgame à une pensée négative, à une subversion ou, pis, à une forme de misérabilisme d'inspiration communiste. C'est pourquoi, ont aussi beaucoup contribué à la dépréciation de l'esprit critique, la chasse aux communistes de McCarthy dans les années 1940 et 1950. Tout ce qui pouvait ressembler à la pensée marxiste était, à l'époque (et encore aujourd'hui), disqualifié et même ostracisé. Même le mot anglais *liberal* souvent associé à une pensée dite «de gauche» est complètement évacué du discours politique états-unien. On se demande si la logique qui tient compte des deux côtés de la médaille de la réalité a encore cours aujourd'hui, même dans les universités.

La mentalité sociale s'accorde toujours à la pensée de la classe économiquement forte et cette pensée est toujours l'expression conceptuelle de ses propres intérêts. Cette idéologie dominante cherche par tous les moyens à adapter les consciences et les comportements pour que les individus et la majorité deviennent socialement et économiquement rentables. Et pour ce faire, il faut que les vérités proposées aient des allures de vérités universelles. Dans l'Antiquité, l'«esclavagisme comme droit naturel» était une vérité universelle (un texte d'Aristote en témoigne). Ce droit découlant de l'essence humaine était tout aussi considéré que l'est, aujourd'hui, le droit à la liberté de commerce, rien de moins; il le fallait bien puisque l'économie reposait sur l'esclavagisme —

---

et l'«effet placebo» ne démontre-t-il pas qu'une substance neutre non médicamenteuse peut avoir les mêmes résultats thérapeutiques qu'un «vrai» médicament? Etc. Est-ce bien, alors, l'efficacité d'une théorie, d'un principe ou d'une assertion qui fait sa vérité? Notez qu'il est question, ici, d'un pragmatisme tel que perçu et pratiqué dans la vie courante.

les esclaves étant le principal capital. Même les esclaves de l'époque — loin d'être regroupés et solidaires — acceptaient comme un fait *naturel* leur propre condition ; comme aujourd'hui on accepte comme *naturel* qu'un patron puisse «mériter» un salaire jusqu'à mille fois plus élevé que celui de ses employés (des textes de sbires éditorialistes en témoignent). Au Moyen Âge, le «droit divin», par exemple, ne fut jamais remis en cause puisqu'il découlait de l'existence et de l'essence même du Dieu créateur, unique et juste que tous les hommes sensés devaient reconnaître comme vrai ; dans ces conditions, pas étonnant que le christianisme et le féodalisme aient fait florès pendant plus d'un millénaire puisque c'est le clergé et la noblesse qui se partageaient «justement» les richesses de la terre. Comment peut-on s'insurger contre ce qui est reconnu par tous comme une vérité universelle ? Ainsi, aujourd'hui, un humanisme théorique simpliste fondé sur les valeurs dites universelles de la raison, de la liberté individuelle et du progrès s'impose comme la seule manière de penser pour tout le monde. C'est là une pensée «positive», unique et universelle qui accommode ceux qui possèdent et contrôlent les richesse de la terre. Il faut donc que cette vérité s'universalise, de fait, dans toutes les consciences et qu'elle triomphe par l'intermédiaire d'une batterie médiatique extrêmement efficace, même si elle est philosophiquement douteuse : du moment que ça marche, ici et maintenant, c'est vrai.

Dans l'entraînement des vendeurs, dans le «coaching» des athlètes, dans la formation des artistes, dans les courses aux médailles et même dans les écoles des tout petits comme des plus grands, on mise sur le côté ensoleillé des choses, on vise la réussite, sinon le triomphe, coûte que coûte, même contre les autres. Dans toutes les couches sociales et pour toute activité, on insiste sur la puissance de son ego, on se convainc que «la vie est super», on se répète qu'on est des champions, qu'on est comme on naît, qu'on est des gagnants, bref, on se persuade que tout ira comme sur des roulettes et que la fortune s'amènera avec toutes les trompettes, les honneurs et la gloire. La pensée dite positive est une pensée magique qui apporte le bonheur assuré comme l'économie mondiale actuelle est un système merveilleux qui apporte la prospérité, la démocratie et la paix... Évidemment, dans ces conditions, la mise en lumière de certains faits et décisions qui incriminent la classe politique en place ou certains PDG plus ou moins cupides est considérée comme une critique séditieuse ou un parti pris négativiste.

Mais pourquoi ai-je dit que tout cela est philosophiquement douteux?

Logique de domination

Une idéologie qui cherche toujours le consensus, le bon et le seul côté des choses est une mentalité qui s'inspire d'une métaphysique abstraite, fixiste et formelle, alors que la réalité, elle, est concrète, conflictuelle, changeante et contradictoire. Et ce n'est pas d'hier que les classes dominantes — par l'intermédiaire de leurs chantres intellectuels — s'inspirent de formes abstraites donc stables et éternelles pour convaincre la majorité que les choses sont ce qu'elles sont et, de par leur nature, immuables. Pour les dominants, il faut une logique de domination. Aristote, médecin du roi Philippe II et précepteur d'Alexandre le Grand, n'a-t-il pas argumenté que les maîtres sont maîtres de par leur essence transcendante et que les esclaves sont esclaves dès leur naissance et que l'on ne peut rien changer à cet état de fait? Platon, riche aristocrate d'Athènes, n'a-t-il pas imaginé un monde intelligible, stable et parfait dont les formes de Beauté, de Justice, d'Homme, de Vérité existent pour l'éternité comme des normes pures auxquelles les êtres humains doivent se soumettre? Saint Thomas n'a-t-il pas spéculé pour démontrer le bien-fondé «naturel» (telle une prescription divine) de l'autorité de l'homme sur la femme dans le mariage? Comme l'âme sur le corps. Comme l'Église sur... Hegel n'a-t-il pas proclamé que l'État prussien incarnait le stade ultime de la Raison? Combien de philosophes, au cours de l'histoire, eurent, à travers leurs écrits et leurs enseignements des occasions de collusion avec le pouvoir établi ? Combien de rois ont eu leurs philosophes et théologiens pour légitimer leur pouvoir ? Aujourd'hui, les lois du marché sont proclamées naturelles et immuables, la mondialisation est expliquée, avec la connivence d'universitaires nobélisés, comme un processus irréversible inscrit dans l'ordre des choses et de l'histoire, la logique du profit est décrétée sans autre voie possible, la croissance de la production et des dividendes un *a priori*, la compétitivité un commandement qui ne pardonne pas celui qui le viole. Et comme au temps de Platon, on doit s'y conformer.

Dans notre présent qui urge et qui nous étourdit dans son maelström d'informations et de divertissements, n'oublions pas l'histoire qui nous offre des cas patents d'exploitation de métaphysiques abstraites par des élites dominantes. Celles-ci ne veulent jamais que les choses et les pensées changent, car cela risquerait de modifier le statu quo qui les garde au pouvoir. Avoir recours à des idées et des valeurs dites stables et éternelles pour justifier « logiquement » un état de fait et un état de pouvoir sur les consciences, c'est là une stratégie qui n'est pas nouvelle et qui connut beaucoup d'efficacité. Et voilà que recommence l'apologie d'un nouvel état de domination bon pour toujours cette fois, anhistorique (comme au-delà ou à « la fin de l'histoire ») qui vient en remplacer un ancien qui n'était pas tout à fait au point pour traverser l'éternité…

D'où les tromperies et les faussetés énormes diffusées tous azimuts. « Il faut être positif ! » est une de ces injonctions illusoires et péremptoires qui consolent et qui mobilisent dans le sens d'un conservatisme étroit et débilitant. « Sois positif ! » : un tout petit commandement qui, dans son martèlement continuel, façonne les consciences et les comportements tel un impératif totalitaire.

Le discours clos

Dans le discours social actuel, le possible ou le virtuel est conçu comme un prolongement imaginaire de ce qui est, mais jamais conçu comme une voie différente, contraire ou contradictoire. C'est ce qu'on appelle un discours clos. Et le discours dominant actuel l'est : le dialogue (dialectique par définition) est pour ainsi dire impossible sinon interdit, car celui-ci impliquerait de la contradiction, de la confrontation. Or, la contradiction dans la « pensée positive » est irrecevable. Il n'y a que le consensus qui soit positif, donc admis et publicisé. La pensée contestatrice de l'ordre établi existe et elle circule, mais « incognito et toujours en marge des grands médias soi-disant indépendants et de la majorité de la population illusionnée » (Chomsky)[2]. Pourtant, on le sait, la franche discussion ou le débat est une puissance contre le pouvoir du discours dominateur et contre toute pensée propagandiste qui se présente comme une unanimité béate. Un discours clos, c'est une pensée proclamée univoque ; c'est une parole constituée de déplacements de synonymes et de tautologies ; c'est un ensemble de « concepts ritualisés et immunisés contre la contradiction » (Marcuse). C'est ce qu'on appelle communément la langue de bois où les contradictions criantes sont transformées en formule de discours et en slogan publicitaire : « des bombes propres », « des dommages collatéraux inoffensifs », « une guerre sans morts », « la cupidité, c'est humain », « une comptabilité inventive »... Le discours clos est fonctionnel : il sert à coordonner et à subordonner. C'est un langage harmonisé qui est fondamentalement anti-dialogique. Bref, le discours clos est un instrument de contrôle, car il ne démontre pas, il n'explique pas : il communique la décision, l'ordre, l'affirmation sans appel : « la fin de l'histoire ne signifie pas la fin des événements mondiaux, mais la fin de l'évolution de la pensée humaine en ce qui a trait aux

2. J'exclus, ici, les « oppositions » officielles et formelles en politique démocratique nord-américaine : le Parti démocrate et le Parti républicain, par exemple, aux États-Unis, sont deux forces soi-disant antagonistes, admises parce qu'elles défendent la même idéologie sociale, le même système économique, le même pouvoir mondial, la même stabilité, sécurité, prospérité, le même rêve, la même unanimité quant à la vision de la civilisation, etc. À quelques nuances près.

grands principes fondamentaux comme ceux qui gouvernent l'organisation politique et sociale» (Fukuyama).

Il n'y a pas que le discours qui soit clos. Les grandes rencontres internationales s'organisent afin d'éviter, autant que possible, toute confrontation avec quoi que ce soit qui serait synonyme d'opposition ; toutes les grandes organisations du pouvoir économique et politique souhaitent que les contestataires soient absents, que la critique soit inexistante, que la démocratie s'endorme. Je pense, par exemple, aux réunions annuelles de Davos qui concentrent un nombre restreint des plus économiquement puissants de la planète ; je pense aux sommets sur le libre-échange américain ou à ceux de la mondialisation ; ou, encore, aux sommets du G-8 (les dirigeants des huit plus grandes puissances du monde) qui ont lieu désormais dans des villes «imprenables [3]» par les contestataires, ou, encore, aux rencontres quasi secrètes de l'Organisation mondiale du commerce (OMC)... Toutes ces grandes organisations rêvent qu'à leurs propositions il n'existe aucune opposition possible. Toutes désirent qu'aucun mouvement critique ne s'organise pour contrebalancer leur pouvoir, qu'aucune ONG (organisation non gouvernementale) ne les remette en cause, qu'aucune notion de bien commun ne s'immisce dans les pensées, que personne n'épingle les profits démentiels des banques, qu'aucun José Bové ne vive, qu'aucun ne se place devant leur route ou projet et que les forces de l'ordre qui les défendent en poivrent et en abattent davantage, de ces individus malades, casseurs et subversifs. Et ce, sans qu'il y ait aucune riposte des pouvoirs judiciaires et des instances politiques démocratiques. Toutes ambitionneraient que la population leur fasse confiance les yeux fermés, que la grande majorité silencieuse et ignorante les laisse penser et s'organiser à loisir. Voilà qui est positif ! Voilà des exemples

3. À Kananaskis, Ottawa a promis 300 000 dollars à la bande autochtone de Stoney, qui a refusé l'accès à ses terres aux 10 000 militants qui voulaient y ériger un village de la solidarité afin de contester la tenue du sommet du G-8 (*Le Devoir*, 20 juin 2002).

flagrants de la crainte du dialogue et de la discussion de la part de ceux qui sont présentement aux commandes du pouvoir. On n'a qu'à suivre les actualités pour se rendre compte du lent, mais progressif parcours des puissants vers un état de pouvoir («démocratique») totalitaire.

«Il faut être positif» signifie qu'il ne faut pas trop penser, cesser d'être lucide et mettre ses lunettes roses. Or, se cacher les malheurs et les difficultés, c'est un déni du réel qui risque de créer des illusions et des erreurs sur l'actualité présente qui hurle ses misères. Penser, c'est créer, mais c'est d'abord refuser, nier, contester, affronter, transformer, construire et pratiquer de nouveaux modes d'existence avec de nouvelles formes de raison et de liberté... La pensée est obligatoirement conflictuelle. La pensée négative est essentielle à la philosophie, à la démocratie, à l'équilibre mental et à l'avenir. La pensée négative est loin d'être négativiste, puisqu'elle favorise le changement, l'évolution, le véritable progrès humain.

Dans le discours social, l'impératif «Il faut être positif» cache, d'une part, un désir des dominants de voir une population plus docile et plus domestiquée et, d'autre part, des individus assujettis, un aveu de crédulité stérile et d'impuissance devant une sorte de violence camouflée, mais culpabilisante. «Si je doute, si je ne suis pas positif, je risque de perdre par ma faute...» se persuade-t-on à la longue. Donc, le meilleur moyen de contrer ce «crabe dans la tête», c'est de se répéter: «Sois positif!»

Principe d'identité et principe de rendement

La pensée positive, celle d'où on a retranché le «négatif» est aussi triomphante. Telle une conscience heureuse. La conscience heureuse qui croit que le réel est parfaitement rationnel et maîtrisé ou maîtrisable. Cette conscience qui croit que le système socioéconomique satisfait les besoins et protège le bien-être tout en prospérant, donne la mesure de ce qu'il faut être aujourd'hui: positif et heureux. Mais cette conscience se masque: elle ne veut pas voir tous les aspects du réel et surtout pas ses côtés sordides ; mieux, elle les interprète positivement : la guerre apporte la prospérité ; le pouvoir de plus en plus totalitaire de la technologie prouve l'efficience de l'homme et sa grande productivité ; si la civilisation actuelle absorbe toute opposition et assimile toute contradiction, elle fait la démonstration de sa supériorité culturelle ; si la société détruit des ressources, si elle fait proliférer le gaspillage, cela prouve son abondance et le degré élevé de son bien-être. Autrement dit, « tout va très bien madame la Marquise ! ». La pensée individuelle, parce que noyée dans l'hyper communication de masse, victime d'endoctrinement, n'est plus ; elle s'est évanouie dans les dédales des sondages. La pensée critique de l'individu s'est écrasée devant l'obsession de se faire une richesse individuelle au détriment de toute richesse collective, elle s'est effacée devant l'urgence de demain au détriment d'un long terme ou d'un devenir. Il ne reste plus qu'à faire ce qu'il faut faire et penser ce qu'il faut penser. « Sois toi-même dans ce monde efficient et prospère », « sois positif ! ne condamne en rien la marchandisation du monde » et « sois puissant avec ton char, symbole de ta force personnelle ». Voilà la seule manière de vivre, la seule manière d'être rentable, de donner le meilleur de soi-même, d'avoir du rendement, donc d'être heureux. Ne plus penser pour agir plus, ne plus douter pour performer vraiment, pour fonctionner machinalement, pour opérer efficacement.

Nous vivons dans un monde où l'exploitation des ressources humaines et naturelles est devenue de plus en plus scientifique et rationnelle, où le négatif est absorbé dans le positif jusqu'à sa disparition, où l'inhumain est dans l'humanisation, où la guerre est une pacification, où le travail servile est vu comme une autonomie, où le cupide est aussi philanthrope, où le discours établi tend à se cristalliser en un univers euphémique et politiquement correct, où tout changement qualitatif est vu comme une utopie irréaliste.

Les forces de la pensée positive fermée (quoiqu'on dise) à toute autre rationalité que celle qui est établie sont puissantes.

Dans ces conditions, la tâche thérapeutique de la philosophie devient une tâche... politique.

SUGGESTIONS DE LECTURE

Umberto Eco, *La guerre du faux*, Paris, Grasset, 1985. Une critique sémiologique de la société actuelle. Avec humour, il nous amène visiter des coins bien particuliers des États-Unis d'Amérique, là où l'apparence tient lieu de réalité et le faux de vrai.

Francis Fukuyama, *La fin de l'histoire et le dernier homme*, Paris, Flammarion, 1992. Le sbire philosophe du néolibéralisme nous explique que le système actuel favorisant le développement des richesses est le seul possible. Toute tentative de contrer ce «mécanisme» de progrès constitue un retour en arrière.

Étienne de La Boétie, *Discours de la servitude volontaire*, Paris, Mille et une nuits, 1995. L'ami de Montaigne a écrit ce texte à l'âge de dix-huit ans: il nous invite à la lucidité et à la révolte contre toute oppression, exploitation, bref, contre l'armature même du pouvoir.

Jacques Le Mouël, *Critique de l'efficacité*, Paris, Seuil, 1991. L'auteur est un philosophe qui fut consultant auprès de grandes entreprises. Son point de vue critique s'inspire d'une pratique dans le milieu. Une plongée bouleversante dans le pragmatisme à la mode.

Herbert Marcuse, *L'homme unidimensionnel*, Paris, Minuit, 1968. Un livre important pour la génération 68. Une démonstration philosophique détaillée des dangers du triomphe de la pensée positive qui a tendance à se déclarer unique. Étonnamment actuel.

Riccardo Petrella, *Désir d'humanité*, Montréal, Écosociété, 2004. Cet universitaire apôtre de l'altermondialisme donne un exemple de «pensée alternative» qui pourrait mener au dialogue. Il le fait avec un optimisme qui rallie les jeunes du monde entier.

http://bibliolib.net/ La bibliothèque libertaire présente une panoplie d'auteurs anarchistes et de références variées. Si ce n'est que pour prendre conscience que le monde actuel ne peut empêcher la liberté d'expression et, grâce à Internet, il est foncièrement démocratique.

CHAPITRE 10

Qui veut peut

Est-ce une question de choix? Le mot liberté est utilisé à toutes les sauces et nous pataugeons dans la confusion la plus totale. Comment est né ce concept et que signifie-t-il? Qu'est ce que la volonté? La liberté ne se conçoit que par l'ignorance de ce qui nous fait agir ; ainsi une meilleure connaissance de soi impliquerait la mise entre parenthèses de la liberté.

Il y a des lieux communs qui révèlent la pensée, les croyances et même les dogmes d'une époque. Ainsi, au Moyen Âge, l'expression «Dieu le veut» était sur toutes les lèvres pour toutes les occasions. C'était une ère d'autoritarisme religieux et de théocentrisme. «Dieu le veut» signifiait que ce qui arrive, arrive selon la volonté de Dieu, que l'homme ne peut rien si la volonté divine n'y agrée point.

Et puis à un certain moment on s'est avisé que «Dieu est mort» (Nietzsche) et que c'est l'homme qui le remplacerait. Car il faut à l'homme une transcendance, quelque chose qui dépasse sa simple matérialité ou son animalité ; il désire qu'il existe pour lui quelque chose qui le grandit et lui donne une force surnaturelle. Au cours des derniers siècles, c'est son « intériorité » qu'il investit de spiritualité pour bien se démarquer de l'extériorité matérielle et finie, lieu des nécessités naturelles. Il lui fallut concevoir une réalité typiquement humaine qui dépassât l'animal : quelque chose d'immatériel, une sorte d'âme non soumise au déterminisme extérieur. C'est notamment depuis la Renaissance que sa volonté, conçue comme véritable puissance de l'esprit, s'est émancipée parallèlement et au détriment d'un Dieu tout-puissant ; en même temps, son individualité s'est affirmée et son moi raffermi par l'invention ou la découverte de valeurs intrinsèques nouvelles dont l'égalité et la liberté. Une longue tradition philosophique a eu recours à la volonté comme caractéristique de la puissance humaine. Dans la tradition judéo-chrétienne, la volonté libre de l'homme fut une explication du mal ou du péché ; il a bien fallu que l'homme s'accusât d'être la cause du mal, Dieu, étant bonté infinie, devait être excusé et exonéré. Saint Augustin a beaucoup insisté sur la liberté intérieure comme si Dieu non causé et infini était en nous. Mais ce n'est véritablement qu'à partir de la Renaissance ou à la fin du féodalisme ou à la naissance du capitalisme — en termes d'histoire de la philosophie, avec les temps modernes — que le moi libre par sa volonté s'impose au discours philosophique et social. De sorte que, aujourd'hui, « Dieu le veut » n'a plus cours puisque la divinité n'est plus là; c'est donc moi qui veux, et ce, librement. « Si tu veux, tu peux » accorde à la volonté un pouvoir intrinsèque, une puissance qui se dispense de celle de Dieu : une liberté. Mais qu'en est-il de la liberté ?

Un fourre-tout

Le concept de *liberté* est si riche en significations qu'il peut, comme le mot amour, provoquer une véritable surdose. On n'a qu'à consulter un dictionnaire pour constater les facettes kaléidoscopiques de ce concept. Examinons-en quelques-unes.

Donner la liberté à un esclave, c'est lui accorder un nouveau statut social, une citoyenneté, une identité, une souveraineté. Rendre la liberté à un prisonnier, c'est ouvrir les portes du pénitencier à un homme déjà libre intérieurement à cause d'un libre arbitre qu'il possède de par sa nature d'être humain. Celui-ci peut même bénéficier d'une liberté surveillée comme celle des poulets ou des lapins qu'on élève en liberté ou celle du chien dont on étire la laisse ou, mieux, auquel on la retire ; mais, pour mériter cette liberté, le chien doit être très bien dressé. Quand je demande à un chauffeur de taxi s'il est libre, il ne me répond jamais que la liberté est le propre de l'homme. Quand une femme me demande si je suis libre, le mot n'a pas le même sens que celui utilisé par mes élèves quand ils me demandent si l'homme est libre. Avoir la liberté pour faire quelque chose, c'est avoir le temps, l'espace, le loisir ou simplement la possibilité ou la permission d'agir. Prendre la liberté ou des libertés, c'est ne pas se gêner ou ne pas se sentir contraint d'agir même s'il arrive, parfois, qu'on arrête et emprisonne ceux qui prennent des libertés. La liberté d'esprit, est-ce la liberté de la chose pensante, de l'imaginaire, de la conscience, de la raison, du cerveau, du néo-cortex, de la mémoire, du corps... Liberté de quoi, finalement ? Quelle est la liberté d'esprit d'un esprit borné ou d'un esprit lucide ? D'un comptable ou d'un libre penseur ? Leur liberté correspond-elle au jeu de leurs neurones ou à celui de leur éducation ou de leur méthode ? La liberté naturelle d'un oiseau ou d'une taupe ou même celle d'un primate parlant comme l'homme, est-ce « l'ensemble des performances dont un organisme est capable ? Est-ce l'autonomie de l'organisme dans son environnement [1] ? »

Cette autonomie contrainte ou réduite par la morale ou les règles sociales, on l'appelle encore liberté : liberté civile ou liberté politique qui est le droit ou le pouvoir pour les citoyens de se donner des lois qui réduiront encore davantage leur liberté. Les

1. C. Lagadec, *Les fondements biologiques de la morale*, Montréal, Herbes rouges, 1996.

libertés individuelles ou libertés fondamentales sont définies comme des droits ; or, le droit est un système de contrainte générale (Alain), c'est-à-dire ce qui détermine ou impose des lois ; pourtant on continue à nommer ces obstacles des libertés. Confusion ou clarification ?

Le concept de droit est aussi polysémique que celui de liberté, « concept valise » où l'on fourre à peu près tout concernant les codes, lois, contrats, devoirs, justices, libertés (encore !), moralités, politiques, bref, tout ce qui dépend des rapports des hommes entre eux et de l'ordre social. Dans les dictionnaires, non seulement les hommes possèdent-ils la liberté naturelle et civile et publique et politique et fondamentale et religieuse et syndicale et commerciale et internationale, mais encore ils peuvent combattre pour la liberté, lutter pour la conquérir par des affrontements violents : c'est ce qu'on appelle la libération pour la souveraineté. Et si l'on s'introduit au cœur de la vie intérieure humaine, il y a, là encore, de la liberté, la plus profonde, celle de la volonté: le libre arbitre ou une sorte d'indéterminisme ou une latitude sans lieu et sans cause…

Mais comment peut-on parler d'indéterminisme quand on ne connaît rien des lois qui agissent, régissent et déterminent notre psychisme conscient et inconscient comme des chaînes causales déterminantes et indéfinies ? Depuis quelques siècles, on parle de la liberté du sujet humain un peu comme au Moyen Âge on parlait de Dieu : une cause première non causée. Serions-nous devenus des dieux pour nous accommoder de la mort de Dieu ? Or, Dieu n'expliquait pas plus les phénomènes naturels que la liberté du sujet n'explique ses actes et ses désirs. Quand on n'explique rien, c'est que l'on connaît mal ou pas du tout. Et la confusion persiste.

Un fouillis de contradictions

Quand on a recours aux philosophes, la confusion s'amplifie. Consultons-en quelques-uns.

Chez les Grecs, en général, la liberté n'est pas une caractéristique de l'être humain, mais un statut politique, social et économique. Le citoyen, l'homme libre ou le propriétaire se distinguait de l'étranger, du barbare, des esclaves et des femmes. Pour les épicuriens, la liberté serait une sorte de jeu du hasard dans le déterminisme matériel de la nature. Pour les stoïciens, la liberté ressemble à une acceptation de ce qui est, une adhésion rationnelle à la nécessité. Les cyniques, eux, parlent de libération des conventions sociales plutôt que de liberté. Pour les philosophes chrétiens, la liberté est une propriété de l'âme spirituelle créée à l'image de Dieu.

Descartes voit en la liberté une puissance infinie de la volonté ; mais c'est, pour lui, une évidence qu'il n'a pas à justifier ; comme le *cogito*, cela saute aux yeux de l'esprit telle une intuition. Spinoza affirme que la liberté est une illusion. L'homme se croit libre étant conscient de ses actes, mais il ignore les causes qui déterminent ses actes. Ou pour dire les choses plus simplement : « La liberté ne se conçoit que par l'ignorance de ce qui nous fait agir », paraphrasait Henri Laborit. Ainsi, réflexion faite, la liberté accommoderait-elle ceux qui ne se donnent pas le temps de se connaître ? Montesquieu : « La liberté ne peut consister qu'à pouvoir faire ce que l'on doit vouloir. » Pouvoir, devoir, vouloir… Et Rousseau : « La liberté consiste moins à faire sa volonté qu'à être soumis à celle d'autrui ; elle consiste encore à ne pas soumettre la volonté d'autrui à la nôtre. Quiconque est maître ne peut être libre, et régner, c'est obéir… Il n'y a donc point de liberté sans lois… Être libre, c'est obéir aux lois. » Facile à comprendre, la liberté !

Chez Kant, obéir au devoir, ce n'est pas une contrainte qui s'exerce sur la liberté, au contraire, c'est la liberté elle-même. Le devoir moral présuppose, par définition, donc, nécessairement, que je lui obéisse ou non, que je puisse me décider ainsi ou autrement. Il y a une autre possibilité, sans quoi le devoir n'existerait pas, il ne serait que coercition obligatoire venant de l'extérieur. Le devoir, contrainte intérieure et absolue de la conscience morale, est, chez lui, synonyme de liberté. Liberté: celle d'obéir ou non, celle de se soumettre ou non au devoir!

Pour Hegel, l'État est l'aboutissement du développement historique tout entier; c'est l'État qui garantit que l'histoire universelle accomplira sa vocation finale, à savoir l'actualisation de la liberté. La liberté, c'est l'État!

Selon Comte, «la vraie liberté ne peut consister sans doute, qu'en une soumission rationnelle à la seule prépondérance, convenablement constatée, des lois de la nature à l'abri de tout arbitraire commandement personnel». Engels pense dans le même sens: «La liberté, c'est la connaissance des lois de la nature»; et «la liberté de la volonté ne signifie donc pas autre chose que la faculté de décider en connaissance de cause.» La liberté: une décision déterminée!

Nietzsche estime que la liberté a été inventée pour culpabiliser les hommes et pour mieux les punir. Pour Bergson, la liberté, c'est le moi fondamental; elle s'expérimente au contact du «moi profond». Le moi profond échapperait donc au déterminisme. Par contre, Freud qui travailla les profondeurs du moi, affirme, lui, que le «moi n'est pas maître dans sa propre maison.»

Les philosophes nous éclairent-ils vraiment sur cette notion de liberté? Allons voir Sartre, philosophe de la liberté par excellence, peut-être nous éclairera-t-il? «Être pour le poursoi, c'est néantiser l'en-soi qu'il est. Dans ces conditions, la liberté ne saurait être rien autre que cette néantisation...» «La liberté coïncide en son fond avec le néant qui est au cœur de l'homme.» «La liberté n'est rien autre que l'existence de notre volonté ou de nos passions, en tant que cette existence est néantisation de la facticité.» «La liberté est le pouvoir que détient la conscience, en permanence, de néantiser.» Et cela est si évident pour Sartre («La liberté n'est rien d'autre...») que, vraiment, on n'y peut rien: «L'homme est condamné à être libre.»

Constatons qu'après une lecture rapide des philosophes nous ne sommes guère avancés sur la compréhension de la liberté. Un fouillis de contradictions. «Être libre à un point tel qu'on ne peut agir autrement» (J. Hersch). Peut-on dire mieux ? Liberté: connaissance, obéissance, soumission, condamnation... Et l'homme libre est un être volontaire, obéissant, soumis, connaissant, désinvolte, leste, libertaire, libéré, osé, inoccupé, flottant, vacant, oisif, vide...

N'empêche que c'est la philosophie, malgré tout, qui nous aide le mieux à bien voir au fond de soi-même et même à clarifier les problèmes de la liberté et de la volonté. Simplifions d'abord !

Liberté intérieure et libertés extérieures

Au cours de l'histoire, l'homme s'est octroyé une puissance : sa volonté libre, une volonté indéterminée par rapport aux lois de la nature, mais pouvant se déterminer elle-même comme une volonté divine. C'est une volonté qui s'autodétermine. Ce pouvoir propre à sa nature faisait et fait de l'homme un être capable de choisir et même de se choisir rationnellement et librement. C'est ce qu'on appelle, en philosophie, le libre arbitre ; l'homme est ce qu'il veut être et, de ce fait, il peut «faire et être ce qu'il veut.» Cette faculté intrinsèque de choisir fait de chaque individu un être responsable de soi et le juge de ses propres choix à faire. Cela découle de la nature ou de l'essence interne et métaphysique de l'homme ; donc, c'est universel.

Voilà la thèse classique de la liberté intérieure, celle qui nous a imprégnés de part en part, nous les Occidentaux : de l'idéologie sociale jusqu'à nos consciences individuelles, de l'art classique jusqu'à la publicité, des mythes poétiques jusqu'aux fondements de notre système judiciaire. Dans nos sociétés modernes, c'est à dix-huit ans que l'homme est juridiquement responsable de ses actes ; il agit bien ou mal en toute liberté. Mais c'est à seize ans qu'il peut obtenir un permis de conduire une voiture, symbole de la liberté.

Est-ce une invention idéaliste ? Ou est-ce bien réel cette liberté ? Continuons. Faisons comme si cela était vrai.

L'être humain a beau se sentir libre en son for intérieur, n'empêche qu'il souhaite ardemment l'être aussi dans ses actes, c'est-à-dire physiquement et socialement : être libre de circuler, de s'associer et de s'exprimer. C'est ce qu'on appelle les droits : « tous les êtres humains sont libres et égaux en droit », écrit-on, en préambule, sur les déclarations des chartes officielles. Mais on sait que ces droits sont variables et relatifs dans les faits : le droit de commercer est plus accessible en Indonésie qu'au Canada, mais celui de se syndiquer, moins ; le droit à la vie est plus respecté dans le droit pénal européen que dans le droit américain. Ces droits s'exercent contre des contraintes qui peuvent venir des hiérarchies sociales, des autres humains, de l'État, de l'éducation ou simplement de la nature. Ces droits sont précisément des pouvoirs.

Ainsi, l'homme, par la connaissance de la contrainte de la gravitation, a pu maîtriser la loi naturelle à son profit et se libérer de l'attraction terrestre pour aller sur la lune. Les pouvoirs s'acquièrent par la connaissance des lois (contraintes ou nécessités) de la nature, de la société, des autres, de son propre psychisme et de quoi encore. Ces libertés extérieures que sont les droits sont aussi des pouvoirs qui se conquièrent dans un processus de libération. Physiquement, l'homme n'est pas totalement libre, mais peut se libérer davantage : les conquêtes de la science sont un apport important de libération ; en gros, l'homme du vingt et unième siècle est plus libre, physiquement, que celui du dix-neuvième siècle, ne serait-ce que sous le rapport de la vitesse de ses déplacements. Ainsi, psychologiquement, certains sont plus libres ou plus libérés que d'autres, c'est-à-dire moins dépendants de leurs désirs, besoins et nécessités créées en cours d'éducation. On dit que le sage, grâce à une connaissance adéquate de soi et de la nature et grâce à sa maîtrise (ou son pouvoir) sur soi, est *libre* dans le sens de *libéré*... Il y a des gens qui sont effectivement plus libres ou plus libérés que d'autres parce qu'ils ont plus de pouvoirs que d'autres ; cela peut signifier plus de connaissances que d'autres, plus de vitalité, plus d'argent que d'autres, plus de relations que d'autres. Plus de pouvoirs, plus de libertés. Revendiquer des libertés extérieures (des droits), c'est revendiquer des pouvoirs. Il en est ainsi des sociétés : plus elles sont riches, plus elles ont de pouvoirs économiques, politiques, militaires, technologiques et culturels, plus elles sont libres. Les sociétés riches sont celles qui ont le pouvoir d'offrir à leurs citoyens plus de pouvoirs et plus de choix. Plus de liberté de choix? Attention!

Parce qu'il revendique des droits, des libertés extérieures, l'homme pense qu'il a une liberté intérieure : il ne fait pas la distinction entre les choix qui lui sont offerts, qu'il réclame de plus en plus et qu'on lui offre aussi de plus en plus, et le choix qu'il a à faire, qui, lui, est toujours influencé ou déterminé par un million de minimes facteurs, donc jamais libre. Ce n'est pas parce que j'ai d'immenses *choix offerts* en magasin que je possède un libre arbitre. Et quand j'ai un *choix à faire*, suis-je vraiment libre de toutes nécessités ou de toutes influences; suis-je vraiment indéterminé? Dans un centre commercial, ce n'est pas mon libre arbitre ou ma liberté intérieure que j'exerce, mais ce ne sont que mes droits à consommer que je fais valoir, ma liberté extérieure physique que je pratique, bref, mon *pouvoir* d'achat.

Le pouvoir et le vouloir

Dans ce contexte, la liberté n'est pas de *faire ce que je veux*, mais de *pouvoir* faire ce que je veux. La distinction est d'une grande importance et peut dissiper beaucoup de confusions. «Qui veut peut» est une ineptie; il serait beaucoup plus sensé de dire «qui peut veut», car, effectivement, celui qui a du pouvoir peut se permettre de vouloir. Mais sans pouvoir, on a beau vouloir, et vouloir de toutes ses forces et de toutes ses espérances, la réalisation risque de rester vaine. La volonté sans pouvoir n'est que velléité. Combien *veulent* être riches, combien *peuvent* le devenir? Quand on a le pouvoir, on n'a pas à vouloir vouloir, on agit. De plus, la volonté[2], c'est un désir qui agit. C'est le propre du vouloir que

2. La philosophie matérialiste et moniste ne conçoit pas, chez l'homme, une âme immortelle dotée d'une volonté qui serait à l'âme ce que le désir est au corps.

de vouloir agir sans hésiter ; je ne peux pas vouloir et ne pas vouloir en même temps. Quand je veux, je veux *nécessairement*, c'est-à-dire qu'il ne peut pas en être autrement. C'est pourquoi, il est contradictoire d'affirmer que la volonté est libre puisqu'il n'y a pas plus déterminé qu'une volonté qui est en état d'agir. Ma volonté est toujours nécessitée par et pour des raisons conscientes ou inconscientes et toujours elle est causée comme je le suis quand je veux. Ma volonté est un effet : je fais ce que je veux, mais ce que je veux résulte de ce que je suis ; je veux à partir de ce que je suis. Or, je ne suis pas autre que ma volonté ; je ne suis pas autre que moi qui fus et qui fis. Je suis mon histoire. Mon passé, mon présent et mes aspirations. Vouloir être autre que soi, c'est rêver : « Ah ! Si j'étais... » On n'a pas choisi ses parents ni son éducation, ni son corps encore moins sa date et son lieu de naissance ; alors, ne reste plus qu'à s'accepter. On peut changer, bien sûr. Mais si c'est moi qui *me* change, je reste autant *moi*, changeant ou changé, qu'en ne changeant pas. Les êtres humains se croient libres, car ils oublient qu'ils ont une histoire, ils oublient qu'ils ont une mémoire qui enregistre tout.

Le désir humain est imprégné des sédiments de son passé. Or, selon cette manière de voir, ce qu'on appelle la volonté n'est pas autre chose qu'un désir éduqué, conscient et en acte. Un désir qui agit. Quand je dis : « je veux ! » j'affirme consciemment mon désir. Je l'affirme au point de le mettre en action : vouloir, c'est désirer agir ou faire agir son désir. Spinoza ne dit-il pas du désir qu'il est une puissance d'agir avec conscience. Je ne distingue pas le désir de la volonté sinon que par l'action : je peux désirer une chose sans agir, mais je ne peux vouloir vraiment une chose sans mettre en activité mon désir, c'est-à-dire sans agir. Sinon volonté ne serait que velléité ; sinon désir ne serait qu'espérance.

« J'ai fait cela, mais j'aurais *pu* agir différemment. » Si j'avais eu ce *pouvoir*, j'aurais agi, en effet, différemment, mais je n'avais pas ce pouvoir, c'est pourquoi j'ai, effectivement et nécessairement, fait cela. L'imaginaire (ou l'imagination, que Malebranche appelait la « folle du logis ») est capable de décaler l'action entre ce que je *fais* et ce que je *pourrais* faire, entre la réalité de l'action et sa potentialité. C'est dans ce sentiment de décalage virtuel que repose la croyance au libre arbitre. Mais les faits et les actions réels qui se passent dans la réalité se passent toujours au présent, ils ne sont pas décalés comme au conditionnel ou dans un futur antérieur : une action est ce qu'elle est, non ce qu'elle *aurait pu* être. Le libre arbitre n'est qu'un rêve que nous forgeons, pour des actions qui n'existent pas. Ou pour des actions qui *auraient pu* exister. Ne pas confondre la logique et la grammaire.

« Qui veut, peut » est une autre sottise de notre idéologie. Encore un lieu commun qui nous en fait accroire et nous trompe sur ce qui dépend et sur ce qui ne dépend pas de nous. Le concept de libre arbitre, de volonté libre ou de liberté intérieure n'explique rien de nos désirs ni de nos actions ; c'est un concept comme celui de Dieu au Moyen Âge qui expliquait tout, donc, rien ; un concept qui empêche la vraie connaissance des causes. Le concept de liberté intérieure agit comme un éteignoir, un bouchon appliqué sur les ouvertures du savoir ; nier le libre arbitre, c'est se déboucher, c'est commencer à comprendre les déterminismes et à se comprendre plus clairement dans les enchevêtrements complexes des nécessités naturelles. C'est s'ouvrir à la compréhension, à la tolérance et à la bienveillance plutôt que de s'enfermer dans les dédales du blâme, du mérite et de la culpabilité. « C'est de ta faute ! » « T'es responsable ! » « Tu le mérites ! » Nier la liberté intérieure, c'est le commencement de la connaissance des multiples pelures de l'oignon que nous sommes. Il est temps que l'on commence à se connaître et à se comprendre : si l'on a appris à être responsable de ses actes, comprenons, aussi, que l'on n'est pas responsable de cet apprentissage. Que la responsabilité est relative à son apprentissage et aux connaissances acquises qui apportent un certain nombre d'aptitudes et de maîtrises.

La culture, la civilisation dont on est tous individuellement et collectivement partie prenante est l'élan puissant qui améliore nos savoirs et nos pouvoirs. Nos libertés. Retenons cette chose essentielle : la liberté de l'homme n'est qu'une illusion si on ne la conçoit pas comme relative au pouvoir que lui donnent la force et la souplesse de son cerveau stimulé, comme la liberté de l'oiseau est relative au pouvoir que lui donnent la force et la souplesse de ses ailes. Métaphoriquement, quant à «l'ensemble des performances dont l'organisme est capable», donc, quant à ses pouvoirs ou ses libertés, le cerveau est à l'homme ce que les ailes sont à l'oiseau. C'est d'ailleurs son cerveau qui lui a donné des ailes.

Finalement, à part les droits ou les pouvoirs réels que l'on peut revendiquer et obtenir par la prise de conscience, le savoir et la lutte, la liberté n'est qu'un objet de foi. Pour faire des citoyens responsables, misons sur la connaissance et l'éducation plutôt que sur la croyance et les prisons.

SUGGESTIONS DE LECTURE

Jacques Diderot, *Jacques le fataliste*, dans *Œuvres*, t. II, Paris, Robert Laffont, «Bouquins», 1994. Un conte savoureux truffé d'humour et de questions limites pour la raison concernant la connaissance humaine, le hasard et la liberté.

Antoine Hatzenberger, *La liberté*, Paris, Garnier-Flammarion, 1999. L'auteur présente des textes célèbres choisis avec ses commentaires très pertinents. Les textes sont classés par thèmes. On termine ce livre avec une profonde perplexité.

Claude Lagadec, *Les fondements biologiques de la morale*, Montréal, Herbes rouges, 1996. Philosophe québécois et spécialiste de la sociobiologie, il étudie la morale et la liberté ; résultat : un livre qui fait réfléchir par ses positions autant marginales qu'audacieuses.

Robert Misrahi, *Qu'est-ce que la liberté*, Paris, Armand Colin, 1998. Une étude universitaire approfondie sur la liberté de la Bible à Sartre et une position métaphysique affirmative de la liberté comme sens du bonheur.

Jean-Paul Sartre, *L'existentialisme est un humanisme*, Paris, Nagel, 1970. Un véritable manifeste humaniste fondé sur l'existence de la liberté individuelle absolue. Chez l'homme, la liberté est son essence, rien de moins.

http : / / Une suggestion : Vous tapez le mot « liberté » sur le chercheur Google et en une fraction de seconde il vous présentera 1 500 000 articles dont des milliers de sites qui proposent revues, associations, compagnie d'avion, de yaourt, de pompes funèbres... Vous dites liberté ?

CHAPITRE II
Attendre son heure

L'attente est un signe d'impuissance. Ceux qui ont du pouvoir ont d'abord le pouvoir de ne pas attendre ; les autres, plus pauvres en tout, attendent. La philosophie propose une attitude de maîtrise et d'action sur le temps, de jubilation dans l'instant, bref, une sagesse.

«Attendre son heure» signifie que l'on peut patienter jusqu'à ce que l'occasion soit propice. Pour patienter, attendre ou espérer, il n'y a pas meilleur état que celui du pauvre. On peut même affirmer sans trop se tromper que l'attente fait la différence entre un riche et un pauvre. Le riche n'attend pas ; ne fait jamais la queue. Ou bien connaît-il quelqu'un de bien placé qui lui ouvrira la grande porte ou bien le payera-t-il ? Une chose est sûre, il ne se placera pas en file. La plupart du temps le riche délègue et c'est un autre qui attendra à sa place. Le riche est malade ? Aucune salle d'attente ne s'honorera de sa présence puisque c'est le médecin qui courra à son chevet. Le propre du riche, c'est avoir le pouvoir de ne jamais attendre.

Le pauvre, au contraire, attend tout le temps et partout : il est toujours à la queue de quelque chose ; il fait constamment la queue et même quand il commence, c'est par la queue qu'il le fait. On dirait que le pauvre ne se sent au monde ou dans son monde qu'à la condition d'attendre. Attendre, pour lui, c'est faire quelque chose qu'il connaît bien et, de ce fait, il se sent rassuré à attendre et il prend tout son temps à attendre. Ne pas attendre le gênerait, le presserait, le paniquerait tant il a l'habitude d'attendre ; même à l'urgence ou malgré l'urgence, il s'attend à attendre.

Les riches n'attendent jamais ; les pauvres attendent partout. Oui, je crois que nos sociétés ont fait de cette vérité leur caractéristique propre. Mais les riches sont rares et les pauvres, nombreux. Et cela va croissant. Entre les deux extrêmes, une grande majorité d'hommes et de femmes, de jeunes et de moins jeunes convoitent la richesse et y travaillent, jour et nuit pour acquérir le pouvoir de ne plus attendre. En effet, qui court ? Qui s'agite pour ne pas attendre ? Qui frétille en attendant ? Qui se presse n'ayant pas le temps d'attendre ? La majorité. Tous ceux-là qui manquent d'argent et qui en veulent plus pour ne plus attendre ; ou tous ceux-là qui ont de moins en moins de temps, mais de plus en plus d'argent ; tous ceux-là qui transforment leur temps en argent et qui n'ont guère de temps pour faire autre chose que de l'argent. Ils ne peuvent attendre, car attendre, c'est perdre son temps, or, le temps, c'est de l'argent... Tout cela est essoufflant et je doute fort que cette attitude soit le meilleur moyen d'accéder à la paix et à la richesse puisque cette course effrénée est, en soi, une attente masquée par une agitation, un désarroi causé par une espérance, c'est-à-dire un manque. Manque de jouissance par manque de temps et d'argent manquant tout le temps.

Les pauvres, eux, enfin ceux qui ont lâché la course au pouvoir pour de multiples raisons que je ne peux analyser ici, n'ont pas d'argent, mais ont beaucoup de temps et ils prennent, en effet, tout leur temps à attendre. Attendre, pour les riches, c'est ne rien faire, mais pour les pauvres, attendre, c'est faire quelque chose : qu'est-ce que tu fais ? J'attends. Je patiente, je poireaute, je fais le pied de grue, bref, je fais quelque chose. Je connais même des pauvres qui, chèque en main, chaque premier du mois, attendent plusieurs heures à l'extérieur de la banque avant son ouverture pour ne pas attendre cinq minutes à l'intérieur. — J'attends pour ne pas attendre !

L'attente, c'est la vie, c'est l'espoir. Avec l'espérance, il n'y a rien d'insupportable ; surtout pas l'attente. Les pauvres tentent d'adoucir leur attente par l'espérance, ils essaient tant bien que mal de se consoler car, on le sait, personne n'aime attendre.

La philosophie propose une attitude qui est une sorte de solution à ce problème d'attente ou problème d'argent et de temps, bref, problème de toute personne ou de toute collectivité en état de manque ou de misère. La philosophie nous dit qu'il n'est pas nécessaire d'être riche en argent ou en temps pour éviter les situations d'attente. Qu'il n'est pas nécessaire de participer à la course folle de la performance, de la compétitivité et de la rentabilité pour s'« enrichir ».

La solution, c'est quoi ? Il s'agit simplement de ne plus attendre, car on n'a pas à attendre. Celui qui n'attend rien et jamais, celui qui n'espère rien et jamais est riche. Celui qui vit au présent est riche d'instants, riche de réalité et d'être, riche de temps et il n'attend jamais. Il a tout. C'est ça, la sagesse des philosophes. Être si riche de sa jouissance d'être, que rien ne manque. Jouissance d'être ? Oui. Jouissance de ses propres puissances de sentir, de connaître, de comprendre, d'observer, de penser, de voir. Par exemple, le simple fait de cultiver la paix et l'amitié pour soi, pour les autres et autour de soi mobilise chaque instant, et y a-t-il plus noble action que celle d'aimer ? Et ne faut-il pas considérer, alors, que ce qui s'achète ne vaut rien car ce qui vaut n'a pas de prix ? La douceur de vivre ou la sérénité ne s'obtient que grâce à la jouissance durable des plaisirs simples : « Peu suffit ; trop nuit », disait Épicure. Dans l'instant, nulle douleur n'est insupportable, car la pire douleur vient de l'imaginaire : nous souffrons, en effet, plus de l'idée du mal que du mal lui-même. Les troubles de l'âme s'atténuent par la connaissance et la dégustation du présent. Pourquoi attendre quand on a, à chaque instant, tout en soi ? Toutes les saveurs de la vie. Quand on a à goûter tout un cosmos, alors pourquoi courir après un os ?

Pourquoi attendre son heure quand chaque seconde est propice au bonheur ? Il n'est pas nécessaire de devenir riche d'avoirs pour cesser d'attendre, mais simplement cesser d'attendre pour devenir riche d'être soi.

GLOSSAIRE

BOUDDHISME : doctrine fondée par le Bouddha (480-400 av. J.-C.) en Inde et qui, considérant la douleur de l'existence, propose une vie de détachements afin d'acquérir, grâce à une morale rigoureuse et à la pratique d'exercices de méditation, une sérénité totale (nirvana).

DUALISME : doctrine admettant deux principes distincts et constitutifs de l'homme : l'âme spirituelle et le corps matériel. S'oppose au monisme.

ÉPICURISME : doctrine fondée par Épicure qui propose le bonheur par la recherche des plaisirs naturels et nécessaires. Le but ultime de la sagesse est l'ataraxie, la paix de l'âme.

ÉPISTÉMOLOGIE : étude critique de la connaissance scientifique, de ses principes et de ses résultats. Théorie de la connaissance.

FINALISME : doctrine qui admet de la finalité au sein de l'univers et qui privilégie l'action des causes finales particulièrement chez les êtres vivants. La finalité (ou cause finale), c'est le but ou la raison d'être d'une réalité ou d'une action ; c'est ce pour quoi une chose est faite.

HUMANISME : doctrine qui affirme que l'homme est la valeur suprême et source de valeurs. On peut faire une distinction entre un humanisme pratique qui propose le respect de l'homme comme valeur culturelle et un humanisme théorique qui tente d'expliquer l'homme par la notion d'homme.

IDÉALISME : doctrine selon laquelle les idées sont plus réelles que le monde sensible, lequel imite celui des idées. Parfois appelé le « réalisme platonicien ».

IMMANENCE : caractère de ce qui est immanent, c'est-à-dire intérieur à l'être ou à un être ou un objet de pensée donné ou considéré. S'oppose à transcendance.

MATÉRIALISME : en philosophie, c'est une doctrine selon laquelle la matière constitue la réalité fondamentale et première ; dans cette perspective, il n'existe pas d'êtres immatériels. La pensée humaine fait partie intégrante de la matière en tant que produit de son évolution. S'oppose à l'idéalisme, au spiritualisme

MÉTAPHYSIQUE : a) le nom : science de l'être en tant qu'être (Aristote). Connaissance prétendant s'élever au-dessus de l'expérience (Kant) ; b) l'adjectif : qui dépasse le domaine de l'expérience et qui ne peut être l'objet d'une connaissance scientifique. Presque synonyme du mot ontologie ; il s'oppose au positivisme.

MONISME : doctrine qui n'admet qu'une seule réalité fondamentale, la multiplicité se ramenant à un unique principe matériel. Chez l'être humain, c'est le corps ; l'âme ou principe spirituel ne serait qu'une fiction de la pensée humaine. Proche du matérialisme, il s'oppose au dualisme et souvent à l'idéalisme.

ONTOLOGIE : étude de l'« être en tant qu'être » (Aristote). Le terme d'ontologie lui-même date du dix-huitième siècle. C'est « une compréhension de l'être » (Heidegger).

PHÉNOMÉNOLOGIE : étude des phénomènes ou d'un ensemble de phénomènes ; Husserl développa pleinement cette discipline, comme science rigoureuse, opérant un retour aux choses mêmes.

POSITIVISME : doctrine philosophique selon laquelle ne serait féconde que la méthode des sciences positives ou exactes. Un optimisme scientiste qui prétend que la connaissance scientifique doit avoir pour objet tout le réel, l'homme et la société inclus. S'oppose à la métaphysique.

PRAGMATISME : doctrine selon laquelle la pensée et l'action sont inséparables. La vérité d'une proposition ou d'un être se définit par leur succès. Le vrai, c'est ce qui réussit ! Caractéristique chez certains philosophes américains (C. S. Peirce, W. James).

RÉALISME : doctrine affirmant que l'être (le réel) a une existence indépendante de celui qui le conçoit aussi bien que de toute représentation de l'esprit. Le « réalisme » platonicien est particulier : affirmant que ce sont les idées qui sont plus réelles que le monde sensible, il est, selon la tradition, un idéalisme.

SCEPTICISME : doctrine selon laquelle l'esprit humain ne pourrait atteindre avec certitude la vérité ; il serait donc nécessaire de suspendre le jugement et de pratiquer le doute.

SPIRITUALISME : doctrine selon laquelle l'esprit constitue une réalité spécifique, indépendante de la matière et distincte d'elle.

STOÏCISME : doctrine selon laquelle la philosophie est avant tout un art de bien conduire sa vie et de pratiquer l'indifférence devant ce qui touche la sensibilité.

TRANSCENDANCE : caractère de ce qui est transcendant, c'est-à-dire extérieur et supérieur à la réalité humaine ou connaissable. Le transcendant désigne généralement Dieu. Ou une réalité qui dépasse ce qui est à dimension humaine. S'oppose à immanence.

TABLE DES MATIÈRES

Achevé d'imprimer en octobre 2004
sur les presses de AGMV Marquis
Cap-Saint-Ignace, Québec